farsi un'idea

I lettori che desiderano informarsi
sui libri e sull'insieme delle attività della
Società editrice il Mulino
possono consultare il sito Internet:

http://www.mulino.it

Gian Paolo Barbetta   *Francesco Maggio*

NONPROFIT

il Mulino

ISBN   88-15-08476-2

Finito di stampare nel maggio 2002 dalla litosei, via rossini 10, rastignano, bologna
www.litosei.com

Indice

1. Un settore con molti nomi e molte anime

Nel corso degli anni Novanta, all'improvviso e inaspettatamente, un settore che produce beni e servizi dalle caratteristiche peculiari, si è trovato al centro dell'attenzione dei ricercatori, dei politici, degli amministratori e della stessa opinione pubblica. Organizzazioni che si occupano di tossicodipendenti e di portatori di handicap, circoli sportivi e ricreativi, cooperative scolastiche di genitori, cliniche ed ospedali di enti religiosi, associazioni ambientaliste, organizzazioni non governative che operano con i paesi in via di sviluppo, associazioni culturali e politiche, gruppi locali di volontariato, fondazioni che gestiscono musei, cooperative di inserimento lavorativo di ex carcerati, università non statali, fondazioni di erogazione ed altro ancora sono diventati oggetto di un interesse senza precedenti. Si tratta di organizzazioni che, al di là delle profonde differenze che le connotano, sono accomunate da una caratteristica: non distribuiscono a soci o dipendenti gli eventuali profitti che derivano dalla gestione delle loro attività ma, al contrario, usano questi profitti per aumentare la quantità e migliorare la qualità dei servizi erogati.

Sono quello che è stato chiamato – mutuando la terminologia americana – il settore nonprofit. In realtà, già sul modo di scriverlo si confrontano opinioni differenti: «no profit», «non profit», «non-profit» o «nonprofit»?

Mentre le prime due dizioni vanno rifiutate come semplici

errori di inglese (si scrive infatti «non-stop flight» piuttosto che «no stop flight» o «non stop flight» e «non-smoking area» anziché «no smoking area» o «non smoking area»), tanto la terza che la quarta sono in uso negli Stati Uniti e assumono significati lievemente differenti. Il termine «non-profit», con la negazione «non», identifica il settore «in negativo», differenziandolo dal resto dell'economia e della società semplicemente sulla base del mancato perseguimento dei profitti. Il termine «nonprofit», al contrario, viene solitamente interpretato come definizione «in positivo», che riconosce un settore che si distingue dal resto dell'economia per una pluralità di caratteri e che possiede caratteristiche peculiari e uniche, non condivise da altre organizzazioni. È quest'ultimo termine che utilizzeremo nel resto del volume, che abbiamo voluto intitolare proprio «Nonprofit».

In un arco temporale molto breve, la discussione attorno ai meriti, ai problemi e alle possibilità di questo vasto insieme di organizzazioni che – senza finalità di lucro – promuove la produzione di servizi di utilità collettiva, è cresciuta in maniera esponenziale, tanto da far sorgere il dubbio che si stesse assistendo ad una vera e propria moda piuttosto che ad un approfondito dibattito attorno ai destini di una parte rilevante della società e dell'economia del nostro paese. Questa crescita di attenzione è stata ancora più sorprendente se si pensa al silenzio e alla neppure troppo celata ostilità che hanno a lungo caratterizzato i rapporti tra la società (e, soprattutto, la legislazione) italiana ed il settore nonprofit; silenzio ed ostilità che hanno una pluralità di spiegazioni storiche e politiche che saranno brevemente indagate nel corso del libro.

La grande attenzione nei confronti del settore, così come la modesta diffusione delle informazioni relative alla sua consistenza, alle sue caratteristiche specifiche e alle grandi differenze che esistono tra le diverse tipologie di organizzazioni di cui è costituito, hanno generato talvolta non poca confusione, innanzitutto linguistica, ma riferita anche alla natura e alle possibilità delle organizzazioni del settore nonprofit.

I molti nomi di un concetto in evoluzione

La pluralità delle denominazioni è sicuramente una delle caratteristiche peculiari del nonprofit italiano. Il nonprofit è infatti costituito da tante anime diverse, che si sono sviluppate separatamente, ed è stato riconosciuto come un vero e proprio «settore» dell'economia e della società (cioè come un insieme relativamente omogeneo di organizzazioni che condividono «caratteri» comuni) solo nell'ultimo decennio; questo riconoscimento pare poi più il risultato del progetto culturale di una élite intellettuale ed organizzativa che non l'esito di una vera e propria spinta di base delle organizzazioni che costituiscono il settore stesso. La frammentazione originaria trova un immediato riscontro nei differenti termini con cui il settore è stato chiamato. Il termine «nonprofit», mutuato dalla tradizione legislativa e culturale statunitense, è infatti venuto in uso e si è affermato solo in tempi recenti, come tentativo di dare carattere unitario alla molteplicità di espressioni utilizzate per descrivere le organizzazioni di cui questo volume si occupa. Vale dunque la pena di ripercorrere velocemente la «storia dei termini» utilizzati per definire le organizzazioni che, senza finalità di lucro, perseguono il benessere della collettività o di una parte di essa.

In principio fu il volontariato... L'espressione volontariato ha origine sociologica e comincia a essere usata intensamente all'inizio degli anni Ottanta per riferirsi, più che a una specifica tipologia organizzativa, ad un atteggiamento individuale o collettivo (l'azione volontaria) nei confronti dei bisogni sociali, specie di quelli dei soggetti più deboli.

Caratteristica fondamentale dell'azione volontaria è la gratuità, nonché un atteggiamento di solidarietà nei confronti dei soggetti sociali più deboli e dei bisogni da loro espressi; questo atteggiamento si traduce nel tentativo di mettere in atto forme di aiuto e di risoluzione pratica dei problemi. Il volontariato è dunque l'area degli individui che, forti di una propria carica di umanità e della propria lettura dei bisogni sociali, si rimboccano le maniche e mettono gratuitamente a disposizione il proprio tempo e le proprie competenze, provando a dare risposte concrete alle esigenze dei più bisognosi. Spesso l'azione volontaria costituisce anche una risposta alla domanda di senso espressa dalle persone, in una fase storica in cui le relazioni personali e sociali si rivelano sempre più difficoltose. Una seconda caratteristica dell'azione volontaria è dunque la ricerca di identità e di appartenenza, ricerca che si risolve con l'adesione al gruppo e alle sue attività di servizio.

L'azione del volontariato tende a concentrasi verso le aree di bisogno più classiche della solidarietà, come la sanità e i servizi sociali. Per questo essa viene spesso interpretata come il modo in cui la società affronta le crisi e le difficoltà del sistema italiano di *welfare*, che proprio all'inizio degli anni Ottanta si mostrano nella loro pienezza. Proprio per la concentrazione in queste aree di attività, e quasi a volerlo distinguere da altre forme di volontariato meno orientate ai bisogni della persona (come il volontariato per l'ambiente o per la tutela dei beni artistici e culturali), il settore viene talvolta descritto con il termine di volontariato *sociale*.

Le caratteristiche dell'azione dei volontari sono state la base su cui, nel 1991, il parlamento ha approvato una legge (l. 266/1991) che definisce, promuove e regolamenta il volontariato e le organizzazioni di volontariato e che descriveremo nel terzo capitolo. Al di là della definizione stabilita dalla legge, l'opinione pubblica e i mezzi di comunicazione di massa tendono ad utilizzare il termine volontariato riferendosi all'intero comparto delle organizzazioni private senza fine di lucro e non solo alla parte di esso in cui il ruolo dei volontari è dominante, così come prevede la legge. Si è infatti venuta a creare una sorta di «retorica del volontariato», le cui benefiche virtù vengono spesso invocate come risposta risolutiva alle difficoltà del sistema di welfare pubblico, alle lentezze della burocrazia o all'egoismo del mercato. Raramente ci si accorge che molte delle risposte positive ai problemi sociali che giungono dal settore privato non potrebbero venire da strutture basate esclusivamente su volontari.

... *poi venne l'associazionismo*. Il termine associazionismo è sicuramente più generico del precedente e fa riferimento al vasto mondo delle associazioni regolate dal codice civile (descritto nel terzo capitolo) ed attive in quasi ogni area della vita collettiva del paese, dallo sport alla cultura, dalla religione ai servizi sociali. È una associazione ogni gruppo di persone che si organizza per impegnarsi in attività differenti da quelle di natura lucrativa.

L'espressione non implica alcuna particolare «attenzione al sociale», tipica invece del termine volontariato, ma indica semplicemente quel vasto mondo di organismi che sono espressione autonoma della società civile e che ne strutturano l'azione in ogni campo della vita collettiva. Al fenomeno associativo è spesso attribuito un valore positivo per la sua capacità di riempire la società di strutture che rappresentano una vera e propria «palestra» di democrazia e di partecipazione. Non è dunque un caso se, mentre alle organizzazioni di volontariato è generalmente associato il termine di «solidarietà», alle associazioni è più frequentemente connesso quello di «diritto» o di «partecipazione». Va sottolineato che esistono spesso aree di sovrapposizione tra le due definizioni, sia perché molte associazioni sono prevalentemente costituite da volontari, sia perché la forma giuridica tipica delle organizzazioni di volontariato è proprio quella dell'associazione regolata dal codice civile.

Proprio la rivendicazione di una peculiarità del mondo associativo rispetto a quello del volontariato ha portato, negli anni Novanta, ad una lunga «rincorsa legislativa» per ottenere che – a fianco delle leggi sul volontariato e sulla cooperazione sociale approvate all'inizio del decennio scorso – fosse approvata anche una legge sull'associazionismo inteso come «area intermedia» tra quella più solidaristica del volontariato e quella più imprenditoriale della cooperazione sociale. Rincorsa che si è conclusa nel 2000 con l'approvazione della «Disciplina delle associazioni di promozione sociale» (l. 383/2000) descritta nel terzo capitolo.

... *ed infine l'impresa sociale.* Dopo le lunghe stagioni della solidarietà e dei diritti, intorno alla metà degli anni Novanta è iniziata la stagione dell'imprenditorialità, cioè del tentativo di coniugare la pratica della solidarietà e dei diritti con l'esercizio di una azione economica diretta a produrre beni e servizi che possano, non solo essere distribuiti gratuitamente, ma anche venduti a soggetti – pubblici o privati – in grado di pagare. A dire il vero, che una parte del settore nonprofit italiano venisse acquisendo caratteri imprenditoriali più marcati era già evidente dall'inizio dello scorso decennio quando, dopo un lungo periodo di pressione, vennero riconosciute per legge (l. 381/1991) le caratteristiche peculiari della cooperazione sociale, prima vera forma di impresa senza fine di lucro normata dal nostro ordinamento. Da allora, la pressione per sostenere che l'affermazione della solidarietà, la difesa dei diritti e la produzione di servizi di utilità collettiva non debbano necessariamente confliggere con l'esercizio di attività di impresa è stata continua, seppure non pienamente fruttuosa. Infatti, mentre è ormai pacifico che il settore nonprofit italiano abbia un'anima di impresa di dimensioni crescenti, il suo riconoscimento legislativo non è ancora avvenuto. Oggi, quello dell'impresa sociale e della sua normazione è uno dei temi caldi nella discussione, tanto che un disegno di legge è stato recentemente approvato dal governo e sarà sottoposto al giudizio del parlamento.

I termini aggreganti: «terzo settore», «economia sociale», «economia civile» e «settore nonprofit». A fianco delle definizioni che identificano una o più delle molte realtà che costituiscono il settore nonprofit italiano, negli anni Novanta sono venuti alla ribalta anche i termini che mirano a unire le diverse anime del settore evidenziandone le principali caratteristiche comuni e separandole dal resto dell'economia e della società. Tra queste va segnalato il termine «terzo settore» o «terzo sistema». Nella sua accezione più vasta esso serve a distinguere le organizzazioni di cui ci occupiamo da quelle del mercato (il primo settore) o dello Stato (il secondo settore); nell'espressione è talvolta implicita una valenza politica o la ricerca di una sorta di «terza via» tra il capitalismo selvaggio e la pianificazione centralizzata. In alcune circostanze, chi usa questa definizione tende ad includervi organizzazioni che in altri paesi sono escluse dalla definizione di settore nonprofit, come ad esempio le cooperative.

Nella sua versione più restrittiva il termine include, oltre ai mondi del volontariato e dell'associazionismo, anche quello della cooperazione sociale. Spesso, questa accezione richiede che le organizzazioni considerate eroghino servizi a favore dell'intera collettività, e non dei soli associati. Si tratta dunque di una definizione che tenderebbe ad escludere, ad esempio, quella parte dell'associazionismo che ha caratteri prevalentemente mutualistici (tipicamente i club o le associazioni che servono i membri). Al contrario, nella sua versione più ampia – ed analogamente al termine «economia sociale» di derivazione francese – il terzo settore identifica, oltre ai mondi del volontariato e dell'associazionismo, anche l'intero comparto della cooperazione e della mutualità. In questo senso esso rappresenterebbe la definizione più ampia tra quelle di uso comune.

Di recente coniazione è anche il termine, invero più generale e meno utilizzabile a fini definitori o misurativi, di «economia civile», proposto dall'economista Stefano Zamagni. Con esso si fa riferimento ai principi regolativi che presiedono alla vita delle organizzazioni a cui stiamo facendo riferimento: «economia», perché ci troviamo di fronte a organizzazioni che producono beni (i cosiddetti «beni relazionali», che sono connotati dalla presenza di una relazione umana tra soggetti differenti che determina la qualità del bene stesso); «civile», perché il principio che presiede alla vita delle organizzazioni sarebbe lo stesso che tiene assieme le diverse componenti di una società civile, e cioè il principio della reciprocità.

Tuttavia, il termine a nostro avviso più appropriato per tenere assieme le diverse realtà cui abbiamo finora accennato è sicuramente quello di «settore nonprofit». Abbiamo già detto delle tendenze a distinguere tra «definizione in negativo» e «definizione in positivo». Vale ora la pena di sottolineare che del termine nonprofit è stata recentemente fornita una definizione chiamata «strutturale/operativa» che si è rivelata molto utile soprattutto per scopi di misurazione delle dimensioni economiche e sociali del settore, tanto da essere utilizzata dall'Istat per la realizzazione del primo censimento sul settore nonprofit italiano. Secondo questa definizione, debbono essere considerate come nonprofit quelle organizzazioni che:

a) sono formalmente costituite;

b) hanno natura giuridica privata;

c) si autogovernano;

d) non possono distribuire profitti a soci dirigenti;

e) sono volontarie, sia nel senso che l'adesione non è obbligatoria, sia perché sono in grado di attrarre una certa quantità di lavoro gratuito.

Utilizzando queste categorie si viene a delineare un settore piuttosto ampio che, tuttavia, è caratterizzato da alcune esclusioni. In primo luogo vengono escluse le «organizzazioni informali» che sono prive di uno statuto, di un atto costitutivo o di qualunque altro documento che regoli l'accesso dei membri, i loro comportamenti e le relazioni reciproche, evidenziando così la consistenza organizzativa dell'istituzione e la sua stabilità nel tempo.

La seconda esclusione è quella delle società cooperative che, almeno dal punto di vista giuridico se non nella pratica, violano il vincolo di «non distribuzione dei profitti». Le cooperative italiane si presentano come un organismo intermedio tra le società di capitale, la cui stessa ragione d'essere è la distribuzione di un utile ai proprietari, e le organizzazioni nonprofit, cui è proibita la distribuzione di qualunque sovrappiù a soci o dipendenti. La nostra legislazione obbliga le cooperative che vogliono godere di alcuni vantaggi fiscali previsti dalla normativa tributaria a non distribuire ai propri soci dividendi superiori all'interesse legale sul capitale versato. Le cooperative che non desiderino godere di alcuna agevolazione fiscale non sono invece soggette ad alcun limite massimo nella distribuzione di utili ai soci (fatta eccezione per l'obbligo di accantonare a riserva un quinto degli utili netti annuali). D'altra parte, contrariamente ai soci di una società per azioni, i soci di una cooperativa non possono contare sulla presenza di eventuali *capital gains*; per godere dei benefici fiscali di cui si è parlato, la legge impone infatti alle cooperative di devolvere il patrimonio sociale a scopi di pubblica utilità in caso di scioglimento della società, detratto il capitale versato. Limitata è anche la trasferibilità delle quote sociali. Va osservato che le cooperative sociali, pur essendo giuridicamente identiche alle altre cooperative, sono solitamente considerate parte del settore nonprofit italiano.

I nomi come processo di costruzione dell'identità

Le differenti definizioni cui abbiamo finora fatto cenno sono importanti non solo perché identificano geometrie differenti entro il settore di cui ci stiamo occupando, ma anche perché hanno in vario modo contribuito a definirne l'identità nel corso del tempo. Se, negli anni Settanta, le peculiarità e le differenze tra i diversi comparti di quello che ora riteniamo essere un solo settore prevalevano sulle caratteristiche comuni, sembra ora possibile affermare che il nonprofit italiano sia riuscito a darsi una identità unitaria. In questo caso, un ruolo rilevante è stato svolto proprio dagli studi e dalle ricerche che, a partire dall'analisi dei paesi in cui il settore godeva di una definizione e di una identità più chiare, hanno contribuito a diffondere le ragioni che rendevano opportuna la costruzione di una identità comune. Così, nonostante permangano forti differenze tra le organizzazioni che si valgono prevalentemente di volontari e quelle che fanno affidamento su personale retribuito, tra quelle che perseguono fini solidaristici e quelle che pensano solo a come organizzare meglio il tempo libero dei propri soci, il settore nonprofit italiano ha cominciato a esistere, a darsi proprie strutture unitarie di rappresentanza (come il Forum nazionale del terzo settore) e a venire considerato un interlocutore qualificato delle amministrazioni locali e nazionali. Un nuovo soggetto sociale è così venuto alla luce.

Anime diverse ma una finalità comune

Abbiamo accennato a come il settore nonprofit italiano sia caratterizzato da una molteplicità di organizzazioni diverse l'una dall'altra per finalità, valori e modalità di azione, ma accomunate da una serie di fattori fondamentali come l'essere espressione autonoma della volontà dei cittadini e della società civile (da qui la natura privata) e lo svolgere attività che male si conciliano con la massimizzazione dei profitti che è generalmente assunta ad obiettivo specifico del sistema delle imprese (da qui il vincolo alla distribuzione dei profitti). La necessità di unire organizzazioni diverse non può tuttavia cedere il passo alla tentazione di confonderle tra loro; è dunque opportuno soffermarsi su alcune delle «tassonomie» che caratterizzano questo vasto insieme di enti, per identificare alcuni «tipi» di organizzazioni di cui si compone il nonprofit italiano.

In primo luogo, dal punto di vista squisitamente economico, possiamo distinguere due grandi tipi di organizzazioni: quelle che vivono prevalentemente grazie alle donazioni che ricevono e quelle che invece vendono i beni e i servizi che producono. Le prime, che potremmo chiamare organizzazioni redistributive, non svolgono una vera e propria attività economica e non creano ciò che gli economisti chiamerebbero «valore aggiunto»; si limitano infatti a redistribuire a soggetti bisognosi le risorse (di denaro o di lavoro volontario) che vengono loro donate dai cittadini. Non per questo il loro ruolo è marginale; al contrario, queste sono le caratteristiche di alcune tra le più rilevanti organizzazioni nonprofit del nostro paese, basti citare la Caritas. Le seconde organizzazioni sono invece delle vere e proprie imprese che si avvalgono di alcuni fattori di produzione (lavoro e capitale) sia a titolo oneroso che a titolo gratuito e li utilizzano per trasformarli in servizi da vendere a clienti privati o, più spesso, pubblici. È ovvio che i confini tra i due tipi di organizzazioni sono tutt'altro che netti e che molti enti accomunano caratteristiche del primo e del secondo tipo. I problemi organizzativi, gestionali, di governo e di motivazione delle prime organizzazioni sono però molto diversi da quelli delle seconde. Allo stesso modo, si differenzia molto il loro ruolo sociale, così come gli effetti economici e redistributivi delle loro azioni.

In secondo luogo, dobbiamo osservare che il nonprofit non può essere considerato esclusivamente come il «settore dell'altruismo». Il settore include, infatti, sia organizzazioni che perseguono prevalentemente l'interesse dei propri membri (organizzazioni *mutual benefit*, per usare la terminologia americana) –

come ad esempio una associazione sportiva o un club ricreativo riservati ai soci – sia organizzazioni votate al miglioramento delle condizioni di vita di soggetti esterni all'organizzazione stessa o al benessere della società in generale (*public benefit*), come molte organizzazioni di volontariato. Il confine tra i due insiemi è tutt'altro che semplice da definire. La stessa organizzazione può, infatti, perseguire sia il benessere dei membri che quello della società in generale, come succede nel caso dell'associazione sportiva che, oltre a creare un'occasione di svago per i soci più anziani ed un'occasione di crescita agonistica per i suoi membri più giovani, svolge una importante azione di prevenzione della delinquenza minorile. Ma, soprattutto, molto complicato è chiarire cosa si debba intendere per «benessere della società». Si tratta infatti di un concetto mutevole nel tempo (come è facile intuire) e nello spazio (la concezione di benessere sociale di una società islamica è assai diversa da quella di una società capitalista occidentale); inoltre, anche persone culturalmente molto simili possono avere idee assai diverse sull'azione che rappresenta la cosa migliore per la collettività.

Le organizzazioni si differenziano anche per le forme di governo che utilizzano. A fianco di organizzazioni in cui prevalgono i principi democratici del libero accesso e della decisione a maggioranza (come le associazioni o le cooperative sociali), ve ne sono infatti altre che si basano su principi autoritari e gerarchici, come le fondazioni. Entrambi i tipi hanno ragione di esistere e svolgono funzioni estremamente utili per il contesto sociale.

È dunque questa grande varietà che ci proponiamo di indagare nelle prossime pagine.

2. *Le origini*

Un settore antico e moderno

Si ritiene comunemente che siano soprattutto i paesi anglosassoni a vantare una radicata tradizione culturale, delle persone e delle comunità, che ha consentito alle organizzazioni nonprofit di svilupparsi in un contesto complessivamente favorevole. Questa tradizione è profondamente radicata nella storia di questi paesi, ma non è estranea – sia pure con connotati differenti – neppure al contesto italiano. Gli sviluppi recenti del settore nonprofit sono dunque avvenuti basandosi su tradizioni culturali, legislative e sociali che già in passato – spesso anche in un passato assai lontano – avevano sperimentato la presenza di organizzazioni della società civile. Non è dunque inutile considerare – per sommi capi – alcuni degli elementi e dei fatti che hanno contribuito a dare al settore nonprofit la forma che oggi conosciamo e descriveremo nei capitoli successivi.

Alle origini del nonprofit anglosassone

Nella tradizione inglese, quelle che noi chiamiamo organizzazioni nonprofit vengono comunemente denominate *charitable organisations*. Che cosa sia una *charitable organisation* (o una *charity*, come si usa talvolta dire) non è facile a descriversi, neppure per un inglese: il significato del termine è infatti mutato nel corso del tempo, e tuttora continua a farlo. Con il pragmatismo che tipicamente li caratterizza, gli inglesi hanno così rinunciato a normare con precisione le caratteristiche (giuridiche ed organizzative) di una *charitable organisation*, preferendo indicare nella legge, in modo piuttosto ampio, le finalità che una simile organizzazione dovrebbe perseguire. Di conseguenza, le autorità che debbono stabilire se una organizzazione possa, oppure no, essere definita una *charity*, confrontano le finalità che essa intende perseguire con quelle – ampie ma non esaustive – scritte nella legge.

Fin qui nulla di strano. Tuttavia, l'aspetto bizzarro (e britannico) della vicenda è il fatto che questa legge sia... piuttosto vecchia. Si tratta infatti di un atto emanato nel 1601 e noto come «Statute of charitable law»; questo atto, nel suo preambolo, stabilisce che tra gli scopi «caritatevoli» vi siano «il sostegno degli anziani e dei poveri, il soccorso dei soldati e dei marinai malati e mutilati, la protezione delle scuole libere e degli studenti all'università, la riparazione dei ponti, dei porti, dei rifugi, delle strade, delle chiese, l'educazione degli orfani, il mantenimento delle case di correzione, il sostegno delle giovani per portarle al matrimonio, [...]». In una classificazione più recente (del 1891), che ha interpretato la legge del 1601 e che viene ora utilizzata spesso come base per le decisioni sulla natura di una organizzazione, le attività *charitable* vengono elencate come: il soccorso della povertà, il progresso della religione, il progresso dell'educazione e altri scopi da cui la comunità tragga beneficio.

Già nell'Inghilterra dei primi anni del 1600 dunque, si discuteva di quali fossero le attività caritatevoli e di quale sostegno lo Stato dovesse garantire loro; la tradizione inglese del settore nonprofit è dunque assai antica.

Non molto diversa – anche se necessariamente più recente – è l'esperienza statunitense. Quando, nel 1831-32, il magistrato e sociologo francese Alexis De Tocqueville – che nel 1848 diverrà per un breve periodo ministro degli Esteri – compì il suo viaggio per conoscere le istituzioni democratiche americane, riportò una fortissima impressione della capacità di quella società di costituire associazioni di cittadini. La peculiarità di un sistema politico-culturale basato sul principio di sussidiarietà e sulle organizzazioni senza scopo di lucro, è vividamente descritta nel libro *La democrazia in America* (1835-1840), famosissimo negli Stati Uniti. Secondo Tocqueville

in nessun paese del mondo il principio associativo è stato usato con maggiore successo o applicato ad un maggior numero di casi rispetto agli Stati Uniti. [...] Al cittadino americano, fin dall'infanzia viene insegnato a contare sulle proprie forze per resistere ai mali e alle difficoltà della vita; egli guarda all'autorità con sfiducia ed ansia e chiede la sua assistenza solo quando non ne può fare a meno. Questa usanza è visibile sin dalla scuola, dove gli studenti sono invitati nei loro giochi a sottomettersi a regole da loro stessi stabilite e a punire i comportamenti considerati scorretti. Lo stesso spirito pervade ogni aspetto della vita. Se si verifica un blocco stradale e la circolazione dei veicoli è messa a repentaglio, immediatamente i vicini si costituiscono in corpo deliberante; e questa assemblea estemporanea dà vita ad un potere esecutivo che pone rimedio all'inconveniente prima che pensi di ricorrere ad una qualunque preesistente autorità superiore rispetto a quella delle persone immediatamente coinvolte. Se si tratta di occuparsi di attività di intrattenimento della collettività, subito vengono create associazioni per dare carattere continuativo e splendore all'intrattenimento. [...] Negli Stati Uniti le associazioni vengono create per promuovere la sicurezza pubblica, i commerci, l'industria, la moralità e la religione. Non c'è fine che gli uomini non pensino di poter raggiungere attraverso la forza combinata degli individui uniti in società.

Questa fortissima ed estremamente radicata esperienza associativa ha dato vita nel corso dei decenni ad un vivace e variegato settore nonprofit. Nel tempo, il nonprofit americano è venuto popolandosi non solo di associazioni, ma anche di numerose organizzazioni il cui elemento costitutivo è rappresentato dal patrimonio – piuttosto che dalle persone – e dove la natura associativa è meno evidente: le fondazioni. Molte di queste organizzazioni svolgono una attività direttamente operativa, ad esempio in campo sanitario; una percentuale molto elevata degli ospedali americani è infatti costituita da organizzazioni nonprofit.

Tuttavia, una parte molto importante del settore è rappresentata da quelle fondazioni che non svolgono altra attività se non quella di erogare contributi a soggetti terzi: le fondazioni *grant-making*. È alla fine dell'Ottocento e nei primi anni del Novecento che si realizzano le condizioni economiche e culturali per lo sviluppo di queste istituzioni e per fare loro assumere le caratteristiche che ne fanno – ancora oggi – un modello reputato ed imitato.

In quegli anni negli Stati Uniti, dopo un periodo di intensa industrializzazione, ricchezze immense si vengono infatti concentrando nelle mani di pochi individui. È l'epoca in cui industriali come Andrew Carnegie, arricchitosi con la produzione dell'acciaio, John Rockefeller, magnate dell'industria del petrolio, o Henry Ford, il pioniere dell'industria automobilistica moderna, iniziano a dare vita ad un'ampia serie di istituzioni filantropiche costituite grazie alla abbondantissima disponibilità di denaro dei loro fondatori. Mentre alcune di queste istituzioni sono operative (come biblioteche, ospedali o università), altre – come la Carnegie Corporation di New York, fondata nel 1911, la Rockefeller Foundation, del 1913, o la Ford Foundation, del 1936 – hanno la natura della fondazione *grant-making*. A queste fondazioni che amministrano patrimoni amplissimi i fondatori donano parti rilevanti – talvolta la quasi totalità – della loro ricchezza.

Pur nelle diversità delle finalità perseguite dalle fondazioni, così come degli interessi e delle motivazioni dei loro fondatori, in questi ultimi si evidenzia l'esigenza – tipica del puritanesimo – di «restituire alla società» ciò che hanno accumulato nel corso della propria esistenza. Tale logica è resa visibile nel paternalistico approccio del *Vangelo della ricchezza* (1889) di Andrew Carnegie, secondo cui il modo migliore per disporre della ricchezza individuale accumulata in eccesso rispetto ai bisogni personali non è quello di lasciarla ai figli in eredità o donarla per finalità pubbliche, quanto piuttosto utilizzarla nel corso della vita per favorire il benessere dell'umanità e la riduzione delle diseguaglianze economiche e sociali. È proprio seguendo questa logica che molti imprenditori americani daranno vita a fondazioni filantropiche dotate di ricchi patrimoni ed attive nel sostegno di numerosissime cause sociali, culturali, religiose ed economiche. Negli Stati Uniti ne operano oggi oltre 50.000, con patrimoni complessivi immensi.

La creazione di queste istituzioni ha rappresentato un fondamentale elemento dinamico nella società americana, favorendo il pluralismo degli approcci ai problemi collettivi e dotando il paese di istituzioni indipendenti dall'amministrazione pubblica ma orientate al benessere comune.

Il settore nonprofit italiano: brevi cenni evolutivi

In Italia, alcune delle istituzioni e delle organizzazioni che oggi consideriamo parte del settore nonprofit hanno una storia assai antica. Sono passati, ad esempio, diversi secoli dalla nascita di alcuni ospedali gestiti da ordini religiosi, di molte Opere pie che si occupano di poveri (con i diversi significati assunti dal termine nel tempo), di alcune biblioteche storiche, di qualche università poi divenuta pubblica. Molti di questi soggetti hanno una matrice religiosa – assai spesso cattolica – anche se non mancano le istituzioni laiche. I loro percorsi ed i loro destini sono stati tormentati e tutt'altro che lineari: transitano infatti dal settore privato a quello pubblico – almeno nel periodo in cui questa distinzione ha cominciato ad avere senso

– per tornare talvolta al contesto che li aveva originati. Si tratta, in generale, di istituzioni espressione della preoccupazione della Chiesa o dello Stato per le condizioni di vita dei cittadini, sia dei più sfortunati – come i poveri o i malati – che di coloro che svolgono un ruolo cruciale per il miglioramento delle condizioni di vita della collettività, come gli studiosi e gli studenti.

A fianco di queste istituzioni secolari, ve ne sono altre che – pur vantando storie di tutto rispetto – sono assai più giovani delle precedenti e rappresentano l'esito di un processo e di esigenze completamente diverse. Alcune di queste istituzioni sono ancora in vita, mentre altre hanno cessato di esistere da tempo. Si tratta di quella parte del settore nonprofit italiano che ha visto la luce oltre cento anni or sono, con la nascita e lo sviluppo del movimento dei lavoratori: società di mutuo soccorso, cooperative di consumo e di produzione, associazioni politiche e sindacali. Queste organizzazioni, che hanno rappresentato il prodotto dell'autonoma capacità di organizzazione dei cittadini nel dare risposta ad alcuni loro bisogni fondamentali, sono ora cambiate. Alcune non esistono più perché molti dei bisogni che si proponevano di soddisfare trovano ora una risposta nell'azione dell'amministrazione pubblica e, talvolta, del mercato, come ad esempio molte società di mutuo soccorso; altre sono profondamente cambiate, trasformate esse stesse in organizzazioni «di mercato», come buona parte del settore della cooperazione di produzione e di consumo.

Ma oltre a queste istituzioni dalla tradizione secolare (o almeno pluridecennale), gran parte del settore nonprofit del nostro paese ha una storia più recente, che può essere fatta risalire agli anni del secondo dopoguerra e, per le parti più innovative come quelle che abbiamo chiamato «imprese sociali», all'ultimo ventennio del secolo scorso. Espressione di istanze solidaristiche, ma soprattutto partecipative, della società civile italiana, questa terza componente del nostro settore nonprofit è fatta di associazioni, di gruppi di volontariato, di comitati, di cooperative sociali creati dal desiderio di contare e di incidere in prima persona sul contesto sociale, culturale, civile ed economico del nostro paese.

Dunque nel passato – ed in particolare sino alla fine dell'Ottocento, quando anche in Italia prende avvio un solido sviluppo industriale – le istituzioni che precorrevano il settore nonprofit italiano erano rappresentate da enti – spesso di origine ecclesiale – che svolgevano attività di beneficenza ed assistenza a soggetti emarginati e diseredati. È solo in un periodo più recente, coincidente con il primo sviluppo del movimento operaio e contadino, che viene a svilupparsi quella parte del settore nonprofit che ha natura più mutualistica e mira a dare autonoma risposta ai bisogni dei soggetti che si aggregano in gruppi, associazioni e cooperative. Ancora più recente è l'anima volontaristica e solidale del settore. Queste tre anime – una istituzionale e caritatevole, una seconda partecipativa e mutualistica, una terza partecipativa e solidaristica – continuano a convivere nel settore nonprofit italiano e si fondono in un insieme talvolta complesso e difficile da decifrare in cui si contemperano pulsioni al cambiamento e legame alla tradizione.

Come accade spesso, le istituzioni più antiche sono anche quelle meno diffuse ed il loro peso tende ad essere modesto, se misurato semplicemente con il numero di enti. Infatti, come dice l'Istat nel primo censimento delle istituzioni nonprofit italiane, solo il 5% delle organizzazioni del settore è stato costituito prima del 1950; si tratta, d'altra parte, di organizzazioni importanti dal punto di vista dell'occupazione, se è vero che in esse opera oltre il 20% dei lavoratori del settore (ma poco più del 5% dei volontari). Numericamente molto più rilevanti sono invece le organizzazioni della terza categoria, tanto che quasi l'80% delle nonprofit italiane è stato costituito dopo il 1980 e che questo insieme di organizzazioni assorbe il 50% della forza lavoro del settore e ben il 74% dei volontari.

Diverse origini del settore nonprofit

Il nostro settore nonprofit può essere considerato, per molti aspetti, come l'esito giuridico di una doppia battaglia che si è combattuta nella seconda metà del diciannovesimo secolo; in questo periodo si concluse il processo di unificazione nazionale (il Risorgimento), partì la rivoluzione industriale ed ebbe luogo una formidabile lotta per il potere tra l'élite del nuovo Stato nazionale, la Chiesa cattolica ed il nascente movimento socialista. Da un lato, infatti, la nuova élite politica nazionale tentò di limitare il potere e l'influenza della Chiesa e, dall'altro, lottò per integrare il movimento socialista, allora agli esordi, nelle strutture politiche di una economia capitalista.

Il conflitto tra Stato unitario e Chiesa cattolica. Nel 1860, la nascita del nuovo Stato italiano portò con sé l'affermazione di una nuova élite politica laica che interpretò la riduzione della forza e dell'influenza della Chiesa cattolica e delle sue istituzioni come principale compito per la stabilizzazione del proprio ruolo e del proprio potere.

In quegli anni, gran parte dei servizi sanitari e di assistenza erano amministrati da istituzioni religiose, molte delle quali frutto di una tradizione secolare che si può fare risalire al medioevo. L'assistenza sociale e sanitaria di matrice cattolica rivolta ai soggetti più indigenti era fornita principalmente dalle Opere pie, enti morali il cui patrimonio consisteva principalmente di lasciti e donazioni accumulate nel corso dei secoli; quasi tutte le Opere pie erano sotto il controllo diretto delle congregazioni religiose. Nel 1861 se ne contavano quasi 18.000 e i servizi che esse fornivano erano assai superiori a quelli erogati dalle istituzioni pubbliche. Questi istituti rappresentano gli autentici precursori del settore nonprofit italiano.

Tra il 1866 ed il 1890 lo Stato italiano emanò leggi che miravano a confiscare i patrimoni di diversi ordini e congregazioni religiose, obbligando inoltre le Opere pie a sottomettersi al controllo pubblico. Nel 1866, in un primo tentativo di ridurre l'influenza cattolica sulla vita pubblica, il parlamento approvò una legge per la soppressione di circa 1.800 ordini e congregazioni religiose e per la confisca dei loro beni. Gli edifici espropriati furono assegnati alle autorità locali per ospitarvi scuole, ospedali ed istituzioni assistenziali; i libri e le opere d'arte andarono invece a biblioteche e musei pubblici. Nel 1867, con la seconda delle cosiddette «leggi eversive», altre 25.000 istituzioni di matrice religiosa si videro confiscare e vendere all'asta i patrimoni. In questo caso non furono toccate le parrocchie e le chiese locali, ma solo le istituzioni che non offrivano «cura alle anime», in larga misura istituzioni assistenziali e sanitarie. Una terza ed ultima legge, che ebbe l'effetto di ridurre l'influenza cattolica sulla società italiana e di creare un sistema assistenziale controllato dallo Stato, fu approvata nel 1890 (l. 6.972) e divenne nota come Legge Crispi, dal nome del presidente del Consiglio allora in carica. La Legge Crispi sottometteva al controllo pubblico le Opere pie che fornivano servizi di tipo assistenziale, sanitario, educativo e di formazione professionale ed imponeva ad ogni istituzione di assistenza che avesse una qualche rilevanza economica di assumere la natura giuridica pubblica. La Legge Crispi costituì il primo passo verso la trasformazione in Ipab (Istituzioni pubbliche di assistenza e beneficenza) delle Opere pie, trasformazione che si completò nel 1923 sotto il regime fascista.

Il settore nonprofit di matrice cattolica cessò di operare come settore autonomo e iniziò una storia centenaria di relazioni peculiari con l'ente pubblico. Lo sforzo di secolarizzazione della società italiana intrapreso con queste leggi fu infatti assai lontano dall'essere completo; in effetti, nel corso dei decenni successivi, le élite religiose, ed i servizi assistenziali che esse gestivano, conservarono un consistente grado di autonomia. Questa autonomia si accrebbe ulteriormente nel corso del ventennio fascista (1922-1943) quando, con la firma del Concordato del 1929, cessarono le ostilità tra lo Stato e la Chiesa cattolica. Il Concordato non solo concesse alla Chiesa una consistente autonomia di azione, ma dichiarò anche il cattolicesimo religione nazionale, ponendo seriamente in discussione il principio liberale della separazione tra Chiesa e Stato; si può forse affermare che da allora le istituzioni cattoliche sono state considerate come istituzioni pubbliche o semipubbliche.

Come risultato della lotta tra Stato e Chiesa, molte organizzazioni di matrice religiosa che avevano sino ad allora soddisfatto la gran massa dei bisogni della popolazione in tema di salute, educazione ed assistenza divennero parte del sistema pubblico della sicurezza sociale, assumendo con ciò una peculiare natura giuridica. Il loro status può oggi essere descritto come una sorta di via di mezzo tra il pubblico ed il privato, oppure tra il secolare ed il religioso.

Dopo l'approvazione della Costituzione repubblicana, avvenuta nel 1948, la Legge Crispi restò a lungo immutata, nonostante l'articolo 38 della stessa Costituzione stabilisse che «l'assistenza privata è libera», consentendo con ciò ai privati di fornire servizi assistenziali senza dover assumere la veste giuridica dell'ente pubblico. Alcuni ritengono che l'incongruenza tra il dettato costituzionale – che dichiarava libera l'assistenza privata – e la Legge Crispi – che imponeva la natura pubblica a chiunque si occupasse di assistenza – fu a lungo tollerata dalla Chiesa perché la legge del 1890 aveva di fatto garantito molti vantaggi alle Ipab. Tra questi bisogna menzionare il finanziamento pubblico per l'acquisto di beni capitali, come la strumentazione medica, o per la ristrutturazione ed il risanamento degli edifici, nonché un facile accesso ai fondi pubblici per la gestione di servizi assistenziali e sanitari attraverso contratti e convenzioni. Inoltre, la natura pubblica delle Ipab non rappresentò un grave impedimento alla loro amministrazione, che continuò ad essere attuata in accordo con la volontà dei fondatori, la Chiesa cattolica in particolare. È solo nel 1988 che la Corte dichiarò incostituzionale l'articolo 1 della Legge Crispi che di fatto proibiva la prestazione di servizi assistenziali da parte di soggetti privati.

L'integrazione della classe operaia. L'integrazione politica della classe operaia può essere considerata come la seconda sfida che la nuova élite nazionale si trovò ad affrontare dopo l'unificazione e soprattutto con l'avvio dell'industrializzazione (1890-1914). L'obiettivo era quello di ridurre il livello dello scontento e della protesta sociale e, in questo modo, di aprire la via al processo di industrializzazione del paese. Per ottenere questo risultato fu intrapresa, in modo assai graduale e per certi versi contraddittorio, la costruzione di un sistema pubblico di sicurezza sociale; questa politica portò con sé anche il superamento graduale delle istituzioni autonomamente create dai lavoratori, le *società operaie di mutuo soccorso*, che andavano sviluppandosi verso la fine del diciannovesimo secolo. Il processo, che incontrava il favore della classe lavoratrice (che piano piano si vedeva più tutelata) e consentiva di attenuarne la carica contestatrice, ebbe l'effetto di lungo periodo di fare progressivamente sparire le istituzioni assistenziali e sanitarie autonomamente create dai lavoratori, per sostituirle in modo pressoché totale con istituzioni pubbliche.

Come risultato di questo duplice conflitto (tra Stato unitario e Chiesa cattolica e tra nuova élite nazionale e classe operaia), lo Stato italiano ha assunto su di sé la responsabilità di soddisfare i «bisogni collettivi» dei cittadini e di aumentare il loro benessere o il benessere generale della collettività. Così, con una equazione che è ancora quasi automatica nella mente di molti, «bisogno collettivo» corrisponde spesso a «intervento pubblico».

Il trend storico dell'evoluzione del sistema italiano di sicurezza e protezione sociale è andato dunque nella direzione di limitare il ruolo delle organizzazioni private (e quindi anche delle nonprofit), integrandole quando possibile dentro il contenitore della pubblica amministrazione.

Gli anni più recenti sembrano però mostrare una inversione di questa tendenza. La cosiddetta «crisi fiscale dello Stato» ha spesso indotto la pubblica amministrazione ad affidare ad organizzazioni nonprofit la gestione di alcuni servizi, principalmente nell'area dei servizi sociali, ma in misura crescente anche in quella sanitaria. Molte delle organizzazioni a cui sono appaltati servizi hanno una matrice cattolica; altre tuttavia, soprattutto quelle nate in epoche a noi più vicine, sono l'espressione di una nuova consapevolezza laica della necessità di promuovere i valori dell'altruismo e della solidarietà.

3. L'ordinamento giuridico in Italia

Tipologie giuridiche e organizzative

Il settore nonprofit italiano, come abbiamo sottolineato nel primo capitolo, è costituito da un insieme ampio e variegato di organizzazioni che si differenziano l'una dall'altra per dimensioni, struttura organizzativa e ruolo; questi organismi sono spesso diversi anche per la natura giuridica che li caratterizza e – dal punto di vista dell'ordinamento – non possono essere semplicemente definiti come «organizzazioni nonprofit» poiché non esiste, nel nostro sistema di leggi, una simile definizione. Studiosi ed operatori, quando parlano di questo settore, sono dunque costretti a fare riferimento a concetti di derivazione sociologica (come quelli di «privato sociale» o di volontariato), economica (come quello di terzo settore, diverso dallo Stato e dal mercato) o contabile (come quello di «istituzioni sociali private»).

La legislazione italiana sul settore nonprofit è infatti un insieme composito di leggi cresciute in maniera disorganica nel corso del tempo e tuttora prive di una adeguata sistematicità. La legislazione civilistica contenuta nel libro primo del codice civile del 1942, che dovrebbe rappresentare la principale fonte normativa del settore, ha infatti tenuto in vita alcune norme precedenti, come ad esempio la legge sulle società di mutuo soccorso (l. 3.818/1886) o quella sulle Ipab (l. 6.972/1890), modificata solo di recente. Oltre a ciò, a questo insieme già complesso di norme si sono aggiunti numerosissimi provvedimenti successivi; alcuni di questi hanno natura ordinamentale, sono cioè tesi a regolare alcune particolari categorie di enti che si suole far rientrare nel settore nonprofit, come ad esempio le organizzazioni di volontariato, le cooperative sociali e le associazioni di promozione sociale, oggetto di apposite leggi (rispettivamente le leggi 266/1991, 381/1991 e 383/2000); altri provvedimenti hanno invece carattere fiscale e mirano dunque a regolare i rapporti tra particolari categorie di organizzazioni nonprofit ed il fisco, come ad esempio la legge sulle Organizzazioni non lucrative di utilità sociale (Onlus) (d. lgs. 460/1997); altri provvedimenti ancora riguardano la riforma del sistema di *welfare state*, come la legge di riforma dell'assistenza (328/2000), e in modo indiretto influenzano l'operato del settore nonprofit.

Una adeguata comprensione del trattamento legislativo del settore nonprofit italiano non può dunque prescindere dalla descrizione delle tipologie giuridiche previste dal codice civile e delle principali leggi che hanno mirato a regolare categorie specifiche di enti. Il modo in cui il codice civile tratta le organizzazioni nonprofit viene descritto nel paragrafo successivo, mentre alla legislazione speciale viene riservato il terzo paragrafo. Nel quarto paragrafo vengono invece avanzate alcune considerazioni sui limiti dell'approccio italiano alla normazione del settore nonprofit e sulle esigenze di riforma della legislazione; è infatti opinione diffusa che fin quando non si arriverà ad una legge quadro che finalmente contemperi le diverse peculiarità del settore e conferisca ad esso una dignità sistemica, il nonprofit sarà sempre disciplinato in modo precario.

Il codice civile

Le forme giuridiche tipiche del settore nonprofit italiano sono regolate dal libro primo del codice civile che distingue tra associazioni (riconosciute e non riconosciute), fondazioni e comitati. Per contrasto, vale la pena di osservare fin da subito che le forme giuridiche tipiche delle imprese a fine di lucro, come la società per azioni, la società a responsabilità limitata o le società di persone, sono invece regolate dal libro quinto del codice stesso, a segnare una notevole separazione tra le due specie di organizzazioni.

Alle organizzazioni senza scopo di lucro il codice dedica esclusivamente i pochi articoli che vanno dal 14 al 42 e, curiosamente, nessuno di questi articoli contiene una definizione di associazione, fondazione o comitato, quasi che essi siano dati per scontati, noti a priori e universalmente conosciuti. Così, in mancanza di definizioni precise, i concetti assumono una qualche ambiguità e per spiegarli è necessario ricorrere alle descrizioni dei commentatori.

Secondo l'opinione corrente, l'associazione è l'organizzazione costituita da un gruppo di persone che si uniscono per perseguire uno scopo ed una finalità comuni. Questa definizione potrebbe tuttavia adattarsi anche al caso di una impresa a fine di lucro, che altro non è se non una organizzazione costituita da alcune persone con lo scopo di procurarsi un vantaggio economico, di conseguire e distribuire un profitto. Secondo i commentatori, però, il codice distinguerebbe tra le due fattispecie poiché le finalità perseguite dai membri di una associazione dovrebbero avere natura non economica e non commerciale e, come tali, sarebbero dunque intrinsecamente diverse da quelle dei soci di una società. Le società mirerebbero al perseguimento di finalità di tipo economico, mentre le associazioni verrebbero costituite dai soci per perseguire finalità di tipo «ideale» – o comunque non economico – come quelle sportive, ricreative, culturali, educative, sociali ed assistenziali, politiche, e così via.

Secondo il codice civile, l'associazione può essere riconosciuta o non riconosciuta, a seconda che abbia ricevuto la personalità giuridica oppure no. Con il riconoscimento, l'associazione diventa persona giuridica a tutti gli effetti, in grado di firmare contratti ed obbligazioni, di rispondere con il proprio patrimonio degli obblighi sottoscritti e, se necessario, di comparire in giudizio. Al contrario, nelle associazioni non riconosciute, è il presidente che risponde personalmente, anche dal punto di vista patrimoniale, degli obblighi sociali.

Il riconoscimento viene accordato dal presidente della Repubblica o, se l'associazione opera in un ambito territoriale limitato, dal prefetto o dal presidente della regione. Mentre in passato il riconoscimento richiedeva tempi lunghi ed incerti, la possibilità del riconoscimento regionale e l'emanazione di un nuovo regolamento per la semplificazione dei processi di riconoscimento (approvato nel 1999) hanno contribuito a rendere più spediti i processi. Ciò che non è cambiato è tuttavia la natura concessoria del riconoscimento giuridico. Quest'ultimo è infatti un atto discrezionale dell'amministrazione e non un diritto dell'organizzazione richiedente; tale riconoscimento viene infatti «concesso» previa valutazione di opportunità da parte dell'amministrazione stessa.

Questo sistema di attribuzione della personalità giuridica è stato oggetto di ampie critiche che hanno sottolineato come esso evidenzi la diffidenza di fondo del nostro ordinamento nei confronti delle organizzazioni della società civile che, per ottenere la personalità giuridica, debbono assoggettarsi ad un giudizio dell'amministrazione pubblica, unico interprete del benessere della collettività. A questa discrezionalità nella concessione della personalità giuridica si sommava inoltre l'obbligo, cancellato solo di recente, di una autorizzazione dell'autorità di vigilanza per acquistare beni immobili o accettare donazioni ed eredità. Non sono mancate, nel corso del tempo, le proposte di sostituire il sistema concessorio con un sistema normativo che preveda la concessione automatica della personalità giuridica nel momento in cui le organizzazioni rispettino alcune predefinite condizioni di legge; tuttavia, questa radicale modifica dell'atteggiamento pubblico verso le organizzazioni della società civile non si è ancora realizzata.

La seconda tipologia di organizzazione normata dal codice civile è la fondazione. Sempre secondo l'opinione dei commentatori, una fondazione è un patrimonio dedicato al perseguimento di uno scopo specificato dall'atto – lo statuto – che dà vita alla fondazione stessa. Mentre l'associazione può (oppure no) ricevere il riconoscimento giuridico, una fondazione deve sempre essere riconosciuta.

Così come l'associazione, anche per la fondazione il riconoscimento della personalità è subordinato al procedimento concessorio e allo scrutinio delle finalità e dei mezzi da parte dell'amministrazione pubblica. Le finalità di una fondazione possono essere ampie e variegate, ma sono comunque caratterizzate dalla loro natura «ideale»; si danno così fondazioni che perseguono finalità educative, religiose, familiari e persino militari. Per quello che riguarda il patrimonio, il riconoscimento giuridico è condizionato al possesso di un ammontare minimo che, nel caso di fondazioni operanti a livello regionale, è generalmente di 100.000 euro; spetta in ogni caso all'amministrazione pubblica valutare l'adeguatezza del patrimonio al perseguimento dello scopo prefissato dallo statuto.

La differenza fondamentale tra associazioni e fondazioni consiste dunque nella presenza dell'elemento patrimoniale. Nella associazione l'elemento rilevante è costituito dalla presenza di persone – i soci – che si organizzano mettendo in comune risorse, lavoro, idee ed organizzazione per raggiungere una finalità condivisa; nella fondazione, al contrario, l'elemento umano ha un carattere secondario rispetto alla presenza di un patrimonio.

Il patrimonio di una fondazione può avere natura sia mobiliare (nella forma di contante, obbligazioni, azioni o altro) che immobiliare. In taluni casi il patrimonio genera redditi che vengono utilizzati per il perseguimento delle finalità dell'ente, eventualmente insieme a risorse derivanti da altre fonti (donazioni annuali, redditi derivanti da prestazioni, e così via). Si pensi a fondazioni che gestiscono patrimoni mobiliari o immobiliari e che, con i redditi di questi ultimi, finanziano le attività necessarie a perseguire le finalità statutarie, come l'erogazione di beneficenza a soggetti indigenti, la gestione di un museo o quant'altro rientri nelle finalità statutarie.

In altri casi, il patrimonio non genera alcun tipo di reddito, ma la sua conservazione rappresenta la finalità stessa della fondazione. Si pensi ad esempio a fondazioni il cui patrimonio è rappresentato da immobili di elevato pregio artistico, come un palazzo, un castello o un'abbazia. In questo caso la fondazione usa le proprie risorse per conservare il valore del proprio patrimonio immobiliare ed impedirne il degrado.

A seconda dell'attività svolta, si suole distinguere tra fondazioni di erogazione (o *grant-making*, nella tradizione americana) e fondazioni operative. Le fondazioni di erogazione gestiscono il proprio patrimonio con lo scopo di distribuirne le rendite a soggetti terzi nella forma di erogazioni (*grant*). Queste fondazioni perseguono dunque le proprie finalità statutarie erogando contributi a soggetti che sono in grado di compiere azioni funzionali al raggiungimento degli scopi statutari; ne sono un esempio tipico la maggior parte delle fondazioni americane, a partire dalle più note e grandissime fondazioni private – come la Ford Foundation, la Bill and Melinda Gates Foundation, la Kellogg Foundation e la Carnegie Corporation – per terminare con molte piccole fondazioni di provincia o con alcune *community foundations*. In Italia queste fondazioni sono assai poco diffuse – con l'eccezione delle fondazioni di origine bancaria di cui si dirà tra poco – poiché la gran parte delle fondazioni ha invece una natura operativa.

Le fondazioni operative, anziché distribuire i frutti del proprio patrimonio, svolgono direttamente qualche attività funzionale al perseguimento degli scopi statutari. Si tratta di fondazioni che gestiscono un museo, come l'americana Guggenheim o l'italiana Poldi Pezzoli; un ospedale, come la fondazione che gestisce l'ospedale San Raffaele di Milano; una casa di riposo, una biblioteca o qualche altra attività. In Italia, le fondazioni operative sono dominanti dal punto di vista numerico.

La distinzione tra le due tipologie di fondazioni non può essere considerata come una separazione netta ed inequivocabile, poiché esistono fondazioni che abbinano l'attività di erogazione ad attività direttamente operative; oltre a ciò, la stessa attività erogativa richiede, in molte circostanze, lo svolgimento di compiti di pianificazione strategica, di selezione, di progettazione e di valutazione che tendono a configurare le stesse fondazioni di erogazione come vere e proprie entità operative.

La terza tipologia di organizzazione di cui si occupa il libro primo del codice civile è il comitato. Quest'ultimo può essere considerato come una sorta di «associazione temporanea» di persone che perseguono uno scopo definito e raggiungibile in un arco temporale limitato, come ad esempio raccogliere soldi per la costruzione di una biblioteca o per finanziare una costosa operazione chirurgica all'estero di una persona. Gli organizzatori del comitato e coloro che gestiscono i fondi raccolti sono personalmente responsabili della conservazione e destinazione degli stessi.

È opportuno sottolineare come il codice civile, all'interno del libro quinto dedicato alle società, detti un ampio insieme di regole relative alle società cooperative (negli articoli dal 2.511 al 2.545). Queste ultime – pur non essendo perfettamente assimilabili alle altre società – non sono solitamente considerate parte del settore nonprofit, specie dalla letteratura economica di origine anglosassone. La ragione fondamentale di questa esclusione, cui si è già fatto cenno nel primo capitolo, è da rintracciare nella possibilità, concessa alle cooperative dal codice e da una abbondante legislazione speciale, di distribuire profitti agli associati, sia pure in maniera limitata. Nonostante questa esclusione sia estremamente discussa e certamente non oggetto di universale consenso, in questa sede ci atterremo ad essa; la sola eccezione a questa regola riguarderà le cooperative sociali, uno dei fenomeni di maggiore interesse entro il settore nonprofit italiano, discusso in uno dei paragrafi seguenti.

La legislazione speciale

Pur con i problemi evidenziati sinora e che saranno ulteriormente discussi alla fine di questo capitolo, la legislazione codicistica del settore nonprofit mostra una unitarietà e semplicità che le hanno consentito di adattarsi, nel corso del tempo, a situazioni e contesti assai differenti. Tuttavia, specie negli ultimi due decenni, una abbondante produzione di legislazione speciale ha contribuito a complicare (e a confondere) notevolmente le cose, senza del resto dare alla legislazione quei caratteri di modernità richiesti dal nuovo ruolo che il settore nonprofit italiano è venuto a giocare entro i mercati dei servizi alla persona e alla comunità e nell'ambito della riforma del nostro sistema di welfare.

Per comprendere meglio le caratteristiche del nostro sistema legislativo, e dei problemi lasciati irrisolti, è dunque necessario analizzare alcune parti di questa legislazione.

Le organizzazioni di volontariato. La legge quadro sul volontariato (11 agosto 1991, n. 266) è una legge scritta in modo chiaro e lineare come è facile comprendere leggendo i primi tre commi dei suoi primi tre articoli (la legge ne prevede, in totale, 17):

Art. 1. co. 1. La Repubblica italiana riconosce il valore sociale e la funzione dell'attività di volontariato come espressione di partecipazione, solidarietà e pluralismo, ne promuove lo sviluppo salvaguardandone l'autonomia e ne favorisce l'apporto originale per il conseguimento delle finalità di carattere sociale, civile e culturale individuate dallo Stato, dalle regioni, dalle province autonome di Trento e Bolzano e dagli enti locali.

Art. 2. co. 1. Ai fini della presente legge per attività di volontariato deve intendersi quella prestata in modo personale, spontaneo e gratuito, tramite l'organizzazione di cui il volontario fa parte, senza fini di lucro anche indiretto ed esclusivamente per fini di solidarietà.

Art. 3. co. 1. È considerato organizzazione di volontariato ogni organismo liberamente costituito al fine di svolgere l'attività di cui all'art. 2, che si avvalga in modo determinante e prevalente delle prestazioni personali, volontarie e gratuite dei propri aderenti.

I tre periodi riassumono efficacemente, senza lasciar adito ad alcun dubbio, cosa rappresenti il volontariato per il nostro Stato, cosa debba intendersi per attività di volontariato e dove debba svolgersi. Una chiarezza e un'esaustività decisamente rare per una legge italiana.

La «266» è stata approvata con i voti favorevoli praticamente di tutto il parlamento. In occasione del decimo anniversario della legge, Rosa Russo Jervolino che nell'agosto '91 ricopriva la carica di ministro degli Affari sociali, ha ricordato in un'intervista che al termine delle votazioni tutti i parlamentari si alzarono in piedi ed applaudirono fragorosamente il varo del provvedimento. Da allora, un episodio simile non si è mai più verificato. E, probabilmente, ci vorrà ancora molto prima che questo primato venga battuto.

Le leggi italiane, non di rado, sono considerate un po' come quei recinti che vengono chiusi quando i buoi sono già scappati. Fuor di metafora, spesso il nostro legislatore giunge a disciplinare un fenomeno quando questo ha comunque già assunto dimensioni di un certo rilievo e, quindi, la sua regolamentazione vuol costituire più un argine che uno stimolo alla sua ulteriore crescita e diffusione. Nel caso della legge quadro sul volontariato è avvenuto il contrario. Certamente la gratuità e l'impegno volontaristico erano radicati nella società italiana ben prima che si arrivasse alla «266». Quest'ultima, però, ha avuto il grande merito di vedere la luce proprio nel frangente in cui cominciava a svilupparsi nel nostro paese il dibattito sulla riforma dello stato sociale, sulla necessità di un passaggio dal *welfare state* alla *welfare community*, dove un ruolo da protagonista spetta alla società civile organizzata. Il riconoscimento per legge del fenomeno del volontariato è servito così anche da stimolo per le organizzazioni di volontariato affinché intraprendessero con decisione la strada del miglioramento nella struttura e qualità dei servizi offerti.

Nel complesso, quindi, la «266» può essere considerata una legge con numerosi meriti.

La legge ha previsto l'istituzione di organismi utili a censire e monitorare il fenomeno del volontariato, come i registri delle organizzazioni di volontariato delle regioni e delle province autonome (art. 6) e l'osservatorio nazionale per il volontariato (art. 12). La legge stabilisce anche che le fondazioni di origine bancaria debbano destinare un quindicesimo dei loro proventi netti annui alla costituzione di fondi speciali presso le regioni al fine di istituire i centri di servizio per il volontariato (art. 15) e che i lavoratori che sono soci di organizzazioni iscritte nei registri regionali possano usufruire di forme di flessibilità nell'orario di lavoro per poter espletare l'attività di volontariato (art. 17).

Questi ultimi due articoli sono quelli che hanno incontrato maggiori difficoltà di applicazione. L'articolo 15, infatti, è stato per diversi anni oggetto di contenzioso da parte delle fondazioni bancarie che non hanno mai visto di buon grado l'obbligo dell'accantonamento del «quindicesimo» dei loro proventi a favore dei centri di servizio la cui funzione dovrebbe essere il sostegno e la qualificazione delle attività di volontariato attraverso consulenza e formazione qualificata alle organizzazioni. A loro avviso, l'accantonamento avrebbe portato ad immobilizzare nella gestione di centri di dubbia efficacia molte risorse preziose che avrebbero potuto essere direttamente utilizzate in progetti di solidarietà. Questa posizione veniva rafforzata dalla grande lentezza con cui è proceduta l'istituzione degli stessi centri di servizio, tanto che ancora oggi – a oltre dieci anni dalla approvazione della legge – essi non sono operativi in alcune regioni (Calabria, Puglia, Campania).

L'articolo 17 è come se non esistesse. Non vi è mai stata negoziazione sindacale che abbia tenuto conto della previsione contenuta nell'articolo né, purtroppo, è dato di riscontrare una qualche volontà di invertire la tendenza.

A fianco dei meriti non mancano peraltro i difetti. Il principale – come sarà chiarito meglio nell'ultimo paragrafo – è di avere fissato in termini giuridici quella che va considerata solo come una forma organizzativa, soggetta in molti casi a cambiare nel corso del tempo; proprio questa legge ha dato inizio ad un filone di legislazione che – anziché considerare il settore nonprofit come un soggetto unitario, pur nella specificità delle diverse tipologie organizzative – ha preferito normare separatamente alcune sue componenti (volontariato, cooperazione sociale, associazionismo, ecc.) generando spesso confusione, competizione tra forme giuridiche, separazione artificiosa tra forme organizzative che sono in costante evoluzione. Proprio questa è la principale difficoltà dell'ordinamento italiano del terzo settore.

Le cooperative sociali. Lo si potrebbe definire un anno magico per il terzo settore, il 1991. Infatti, a pochi mesi di distanza dal varo della legge quadro sul volontariato, veniva posata un'altra pietra miliare lungo il percorso che in poco più di un decennio avrebbe visto il nonprofit italiano raggiungere dimensioni di enorme significatività socio-economica ed occupazionale. L'8 novembre di quell'anno veniva emanata la legge 381 sulla cooperazione sociale, la prima e, finora, unica legge che disciplina nel nostro ordinamento la figura giuridica dell'impresa sociale. Va comunque detto che il governo ha recentemente approvato un disegno di legge delega che identifica le imprese sociali sulla base delle seguenti caratteristiche: l'obbligo di operare esclusivamente in ambiti di particolare rilievo sociale; il divieto di redistribuzione degli utili o di quote di patrimonio sotto qualsiasi forma, anche indiretta; l'obbligo di reinvestire eventuali incrementi di carattere patrimoniale nello svolgimento dell'attività istituzionale; la costituzione di organismi che assicurino forme di partecipazione nell'impresa sociale anche ai diversi prestatori d'opera e ai destinatari delle attività sociali; il divieto per i soggetti pubblici e le imprese private con finalità lucrative di detenere il controllo dell'impresa (alle imprese profit sono consentite solo partecipazioni minoritarie).

Sempre più spesso nel dibattito politico di casa nostra si parla di impresa sociale come tipologia di azienda che amplia il novero delle possibilità di fare impresa e che si rivela capace di coniugare efficienza e solidarietà. Tuttavia, al di là delle enunciazioni di principio, non si è ancora riusciti a inserire una simile figura giuridica nel codice civile dandole la dignità sistemica che meriterebbe. Nella tredicesima legislatura, in realtà, era stata istituita una commissione presso il ministero degli Affari sociali che, tra i compiti che le erano stati assegnati, aveva anche quello di disciplinare la figura dell'impresa sociale. Ma la commissione non è riuscita a concludere i lavori prima della fine della legislatura.

L'unica legge, pertanto, che disciplina l'impresa sociale è la «381». Una legge snella, di 12 articoli, il primo dei quali definisce le cooperative sociali come organizzazioni che «hanno lo scopo di perseguire l'interesse generale della comunità alla promozione umana e all'integrazione sociale dei cittadini attraverso:

a) la gestione di servizi socio-sanitari ed educativi;

b) lo svolgimento di attività diverse – agricole, industriali, commerciali o di servizi – finalizzate all'inserimento lavorativo di persone svantaggiate». Da qui la dizione corrente – che utilizzeremo anche nel testo – di cooperative sociali di tipo A per le organizzazioni che erogano servizi socio-sanitari ed educativi, e di cooperative sociali di tipo B per quelle che si occupano di inserimento lavorativo di soggetti svantaggiati.

Per persone svantaggiate debbono intendersi, ai sensi dell'art. 4 comma 1 della legge, gli invalidi fisici, psichici e sensoriali, gli ex degenti di istituti psichiatrici, i soggetti in trattamento psichiatrico, i tossicodipendenti, gli alcolisti, i minori in età lavorativa in situazioni di difficoltà familiare, i condannati ammessi alle misure alternative alla detenzione e, inoltre, quei soggetti indicati con apposito decreto del presidente del Consiglio dei ministri. Le suddette persone svantaggiate, aggiunge il comma 2, devono costituire almeno il 30% dei lavoratori della cooperativa e, compatibilmente con il loro stato soggettivo, essere socie della cooperativa stessa.

In circa dieci anni di vita, le cooperative sociali si sono conquistate un posto di assoluto rilievo nel panorama di tutto il terzo settore. Attualmente, secondo dati del Consorzio di cooperative sociali Gino Mattarelli, tra i più grandi del paese, esse superano abbondantemente le 5.000 unità, annoverano 164 mila soci, si sono rivelate capaci di inserire nel mondo del lavoro quasi 20 mila persone svantaggiate, danno occupazione a 108 mila lavoratori, servono mezzo milione di utenti e fatturano complessivamente circa 1,5 miliardi di euro (3.000 miliardi di lire). Sono presenti prevalentemente al Nord (44,7%), dove la parte del leone è svolta dalla regione Lombardia con quasi 800 cooperative per un fatturato di 700 miliardi di lire. Seguono il Sud (36%) e il Centro (19,3%).

La legge 381 ha senza dubbio il grande merito di aver «inventato» una tipologia di cooperativa che supera il concetto tradizionale di cooperazione. La cooperativa nasce per fare, innanzitutto, gli interessi dei soci. Le cooperative sociali, invece, vengono costituite dai soci per fare del bene come prima cosa agli altri, per inserire nel mondo del lavoro soggetti svantaggiati e per offrire servizi di pubblica utilità (peraltro, su questa distinzione, è incentrata la riforma del diritto societario in tema di cooperative).

Il ruolo delle cooperative sociali si è enormemente accresciuto negli ultimi tempi. I servizi che offrono e la qualità raggiunta dagli stessi le vedranno sempre più protagoniste del passaggio dal *welfare state* alla *welfare community*. A patto che... Sì, c'è una condizione che deve essere necessariamente soddisfatta affinché questa previsione si avveri. E consiste nel fatto che finalmente vengano modificati i criteri con cui finora si sono stipulate le convenzioni con la pubblica amministrazione.

Oggi il sistema dominante è ancora quello del cosiddetto massimo ribasso. La pubblica amministrazione assegna gli appalti per l'erogazione di servizi di pubblica utilità a quelle cooperative che riescono a presentare la proposta economicamente più vantaggiosa, senza tener conto dell'effettiva qualità dei servizi che con tali risorse si riesce effettivamente a garantire. Ciò produce perlomeno due conseguenze negative: induce le cooperative ad avvalersi, non di rado, di manodopera di professionalità non elevata e sottopagata; spinge le cooperative ad approvvigionarsi di risorse finanziarie di natura prevalentemente pubblica, a non osare il confronto con il mercato. Con tutto quel che ne deriva, come è facile immaginare, in termini di incapacità delle stesse a sopravvivere quando mutano gli assetti politici di riferimento.

Per fortuna qualcosa, in proposito, comincia a muoversi. Un recente decreto del governo, il decreto del presidente del Consiglio dei ministri (dpcm) 30 marzo 2001, nello stabilire i nuovi criteri ai quali dovranno attenersi i comuni nell'assegnare alle organizzazioni nonprofit l'erogazione di servizi sociali, vieta espressamente il ricorso al metodo del massimo ribasso.

Le organizzazioni non governative (Ong). «Se non ci fossero state le "Oennegì" chissà quanto alto sarebbe stato il tributo di vite umane». Almeno una volta sarà probabilmente capitato a tutti di sentir pronunciare una simile frase ascoltando un telegiornale, la radio, oppure di leggerla su un giornale. A proposito di una calamità naturale, di una guerra, delle tragiche condizioni in cui versano i paesi poveri del mondo. Sì, perché le organizzazioni non governative (questo il significato dell'acronimo Ong) sono nell'immaginario collettivo (oltre che, naturalmente, nella realtà) sinonimo di pronto intervento, di abnegazione totale a una buona causa, di coraggio e gratuità. Operano nei settori più svariati: sanità di base, formazione professionale, tutela dell'ambiente, diritto al lavoro, agricoltura, lotta alla povertà, aiuti umanitari, assistenza ai rifugiati, tutela dei diritti umani, sempre con l'obiettivo di aiutare i paesi in via di sviluppo. Sono presenti nei paesi più sperduti del pianeta. Portano avanti progetti di rara difficoltà. Insomma, sono infaticabili «costruttori» di solidarietà internazionale e di pace.

Tuttavia, sebbene rivestano un ruolo così importante, la loro attività è regolamentata da una disciplina giuridica che si ritiene ormai obsoleta. Il testo di riferimento è ancora la legge 49/1987 («Nuova disciplina della cooperazione dell'Italia con i paesi in via di sviluppo») che all'art. 1 recita: «La cooperazione allo sviluppo è parte integrante della politica estera e persegue obiettivi di solidarietà tra i popoli e di piena realizzazione dei diritti fondamentali dell'uomo, ispirandosi ai principi sanciti dalle Nazioni unite e dalle convenzioni Cee-Acp». Ma da tempo, ormai, si invoca una legge di riforma della cooperazione internazionale che tenga conto dei profondi mutamenti intervenuti nel settore, a cominciare dal drastico ridimensionamento dei fondi pubblici ad essa destinati, anche per via degli scandali che l'hanno investita (si è passati dallo 0,37% del Pil negli anni Ottanta allo 0,15% del 1999), e dal ruolo determinante assunto dalle organizzazioni non governative nella soluzione delle controversie internazionali più spinose. Nella scorsa legislatura si era andati vicini al raggiungimento di un simile traguardo, ma poi non se ne è fatto nulla.

L'auspicio è che si ricominci presto in sede parlamentare a discutere di questa importante e delicatissima materia.

Le associazioni di promozione sociale. Se il 1991 fu, per molti versi, un anno magico per il nonprofit grazie al varo di due importantissime leggi di settore quali, appunto, la legge quadro sul volontariato (266) e quella sulla cooperazione sociale (381), nondimeno si può dire per il 2000. Sono state infatti poste, sul finire di questo fatidico anno, altre due pietre miliari in tema di legislazione per il nonprofit. La prima (n. 328) è datata 8 novembre 2000 ed è la Legge quadro per la realizzazione del sistema integrato di interventi e servizi sociali, una legge attesa da ben 110 anni (tanti ce ne sono voluti per mandare in soffitta la Legge Crispi sull'assistenza), che ridisegna profondamente il nostro sistema di welfare assegnando un ruolo di primo piano alle organizzazioni nonprofit. Il secondo provvedimento, invece, è del 7 dicembre (n. 383) e riguarda la «Disciplina delle associazioni di promozione sociale». Un provvedimento che, come hanno commentato alcuni, dà una carta di identità a 10 milioni di italiani. Più o meno a tanto ammontano, infatti, i cittadini del nostro paese che aderiscono a quelle associazioni (come per esempio l'Arci o le Acli) che l'articolo 2 della legge così definisce: «Sono considerate associazioni di promozione sociale le associazioni riconosciute e non riconosciute, i movimenti, i gruppi e i loro coordinamenti o federazioni costituite al fine di svolgere attività di utilità sociale a favore di associati o di terzi, senza finalità di lucro e nel pieno rispetto della libertà e dignità degli associati».

Paradossalmente, prima dell'emanazione di questa legge, tali associazioni non avevano un riconoscimento giuridico. La «383» colma questa lacuna e, come recita l'articolo 1, afferma che «la Repubblica riconosce il valore sociale dell'associazionismo liberamente costituito e delle sue molteplici attività come espressione di partecipazione, solidarietà e pluralismo; ne promuove lo sviluppo in tutte le sue articolazioni territoriali, nella salvaguardia della sua autonomia; favorisce il suo apporto originale al conseguimento di finalità di carattere sociale, civile, culturale e di ricerca etica e spirituale».

Tra le novità più significative introdotte dal provvedimento in questione, da segnalare la previsione (all'art. 11) di un osservatorio nazionale sull'associazionismo (presieduto dal ministro del Welfare) che, tra l'altro, promuova (art. 12) studi e ricerche sull'associazionismo; pubblichi un rapporto biennale sull'andamento del fenomeno associativo e sullo stato di attuazione della normativa europea, nazionale e regionale sull'associazionismo; organizzi, con cadenza triennale, una conferenza nazionale sull'associazionismo, alla quale partecipino i soggetti istituzionali e le associazioni interessate.

Decisamente «rivoluzionario», poi, il dettato dell'articolo 17 che stabilisce che le associazioni di promozione sociale e le organizzazioni di volontariato più rappresentative esprimano 10 componenti del Cnel (Consiglio nazionale dell'economia e del lavoro). La nomina, tuttavia, di questi rappresentanti, ha suscitato non poche polemiche, sfociate in un ricorso al Tar del Lazio, presentato da Confindustria e dalle organizzazioni sindacali in quanto, a loro avviso, non sono chiare le modalità di definizione delle rappresentanze del terzo settore.

Le fondazioni di origine bancaria. Le fondazioni di origine bancaria – uno dei soggetti più interessanti, discussi e controversi del settore nonprofit italiano – sono il risultato – per molti versi casuale e chiaramente non pianificato – del processo di trasformazione e privatizzazione di molte banche pubbliche messo in moto dalla legge 218/1990, nota anche come Legge Amato.

Alla fine degli anni Ottanta, la maggior parte di queste banche (un centinaio di casse di risparmio ed alcuni istituti di credito di diritto pubblico) operava con la natura giuridica – assolutamente inusuale nel settore del credito – della fondazione o dell'associazione. Questa peculiarità risale all'Ottocento e può essere spiegata ricordando che la principale finalità di queste originali istituzioni creditizie – e dei loro fondatori – consisteva nello stimolare la propensione al risparmio delle classi medie e dei lavoratori; la capacità di risparmiare veniva infatti pensata come parte di un progetto di «previdenza individuale». L'idea di base era quella secondo cui l'accumulazione di risparmio avrebbe consentito ai singoli cittadini di affrontare con maggiore tranquillità eventuali periodi di difficoltà economica.

All'origine, le casse di risparmio venivano dunque considerate come «istituzioni private che perseguono interessi collettivi», quasi istituzioni previdenziali che rifuggono ogni operazione speculativa. A sottolineare la loro affidabilità contribuisce anche la forma giuridica. Le casse di risparmio nascono infatti come fondazioni o associazioni private senza scopo di lucro e la natura giuridica influenza grandemente il loro operato: da una parte impedisce loro di distribuire profitti – inducendole piuttosto ad accumularne gran parte a riserva – dall'altra le porta a distribuire parte di questi profitti in beneficenza.

Sin dalle origini, le casse di risparmio hanno dunque una natura mista: da una parte sono banche che tutelano e fanno fruttare il risparmio, dall'altra sono enti filantropici che distribuiscono i propri profitti in beneficenza e come tali perseguono finalità di tipo pubblico. Con il passare del tempo, e soprattutto nel secondo dopoguerra, l'attività di natura creditizia prende decisamente il sopravvento su quella filantropica, tanto che la distribuzione della beneficenza diviene sempre più strettamente strumentale alle finalità dell'attività bancaria.

Non bisogna tuttavia dimenticare che, ancora nel secondo dopoguerra e fino a tempi molto recenti, la stessa attività bancaria viene considerata dalle autorità e dall'ordinamento come una attività imprenditoriale dalla natura peculiare; le sue implicazioni sulla solidità e sulla stabilità del sistema dei pagamenti e l'influsso esercitato sullo sviluppo economico complessivo del paese fanno infatti sì che l'attività creditizia assuma una diretta rilevanza pubblica e venga a lungo considerata come un'attività di interesse collettivo. È questa una delle ragioni che portano, con una certa gradualità nel corso degli anni, a sottomettere le casse di risparmio – la gran parte delle quali ha un'origine assolutamente privata – al controllo pubblico, fino al punto in cui i loro presidenti e vice presidenti vengono nominati direttamente dall'esecutivo. È solo con il referendum del 1993 che il governo perde questo potere di nomina.

Anche se con il passare del tempo l'attività creditizia prende sempre più il sopravvento su quella di ordine filantropico, al momento dell'approvazione della Legge Amato, le casse di risparmio si presentano ancora come uno strano ibrido che ha poca ragione di esistere: banche pubbliche (ma con origini private) che agiscono come imprese e competono sui mercati (e dovrebbero puntare ad una solida gestione economica) ma allo stesso tempo organizzazioni filantropiche che distribuiscono beneficenza.

Così, dopo un ampio dibattito condotto nel corso degli anni Ottanta, la Legge Amato consente di modificare lo status giuridico di queste banche particolari. Grazie alla presenza di sostanziosi incentivi fiscali, le casse di risparmio (e le altre banche pubbliche) vengono invitate a scorporare l'attività bancaria, conferendola ad una società per azioni di nuova costituzione. Questa operazione consente di creare un gruppo di banche in grado di competere con il resto del sistema creditizio (e con le banche straniere) su base paritaria; le nuove banche possono, ad esempio, raccogliere capitale di rischio dagli investitori e remunerarli con i profitti realizzati, operazioni precluse a qualunque organizzazione senza fine di lucro.

La costituzione delle nuove società per azioni e lo scorporo delle attività bancarie avvengono progressivamente, non senza opposizioni, nella prima metà degli anni Novanta; l'ultima trasformazione, quella del Monte dei Paschi di Siena, viene realizzata nel 1995.

Il conferimento dell'attività bancaria ad una nuova società trasforma le originali casse di risparmio (i cosiddetti «enti conferenti») negli azionisti di maggioranza (spesso gli unici) delle nuove banche. Priva però questi enti, nati per caso, senza un chiaro disegno e quasi come sottoprodotto della trasformazione giuridica delle banche pubbliche, di una vocazione e di un mestiere; se non sono più banche, che cosa possono essere?

La legge stabilisce che le fondazioni e le associazioni casse di risparmio concentrino ora le loro attività sulle finalità di tipo filantropico e sociale che le aveva caratterizzate alle origini; esse sono infatti chiamate a perseguire «fini di interesse pubblico e di utilità sociale preminentemente nei settori della ricerca scientifica, dell'istruzione, dell'arte e della sanità» oltre che di «assistenza e di tutela delle categorie sociali più deboli». Oltre a ciò, le «fondazioni di origine bancaria» (come questi enti cominciano ad essere nominati) sono chiamate ad amministrare la partecipazione nella società bancaria di cui sono azioniste di maggioranza; i dividendi distribuiti da quest'ultima rappresentano lo strumento per lo svolgimento della loro attività filantropica.

La gestione della banca potrebbe apparire dunque come una semplice attività strumentale al perseguimento delle attività filantropiche; non è tuttavia così, sia perché la legge impedisce inizialmente alle fondazioni di cedere le partecipazioni di maggioranza delle banche (a meno che non vadano ad un altro ente pubblico), sia perché le fondazioni continuano ad essere gestite dai soggetti che governavano le banche, spesso del tutto ignari della natura e delle esigenze del mestiere di «amministratore di fondazione». Le fondazioni continuano dunque a percepirsi, e ad agire, principalmente come amministratori di banche.

Tuttavia, il vivace dibattito che si sviluppa nella prima metà degli anni Novanta sui meriti e le esigenze dello sviluppo del nonprofit italiano, insieme all'urgenza di restituire pienamente al mercato le banche pubbliche, portano inesorabilmente (seppure con grande lentezza) nella direzione della progressiva separazione tra banche e fondazioni e della costruzione di autentiche fondazioni filantropiche. Una serie di provvedimenti legislativi entrati in vigore a partire dal 1993 stabilisce l'incompatibilità tra le cariche di amministratore della banca e della fondazione, mentre la legge 474/1994 consente alle fondazioni di cedere il controllo delle banche, sia pure con l'autorizzazione da parte del ministero del Tesoro. Il processo della separazione viene dunque segnato.

Negli anni successivi, regolamenti e direttive ministeriali indirizzano le fondazioni verso la diversificazione patrimoniale e l'adozione di statuti e regole di funzionamento assimilabili a quelli delle fondazioni filantropiche straniere.

I più recenti passi legislativi nella direzione della separazione delle fondazioni dalle banche e della costruzione di autentici intermediari filantropici sono rappresentati dalla l. 461/1998 e dal d. lgs. 153/1999. Con questi provvedimenti il legislatore persegue una pluralità di obiettivi:

1. allontana definitivamente le fondazioni dal settore pubblico, riconoscendone la natura giuridica privata una volta che gli statuti si siano adeguati ai dettati della legge;

2. stabilisce che le fondazioni possano perseguire esclusivamente scopi di utilità sociale e di promozione dello sviluppo economico, attribuendo loro una missione precisa ed allontanandole definitivamente dalla natura di «holding di partecipazione»;

3. prevede che le fondazioni siano governate da distinti organi di indirizzo, di amministrazione e di controllo, composti non solo da rappresentanti degli enti locali o dei soci fondatori (come era nella gran parte degli statuti precedenti), ma anche da personalità che possano contribuire al perseguimento dei fini istituzionali;

4. impedisce alle fondazioni di possedere partecipazioni di controllo in imprese che non siano strumentali al perseguimento delle finalità statutarie;

5. stabilisce criteri di diversificazione del patrimonio e di salvaguardia del suo valore;

6. obbliga le fondazioni ad erogare contributi pari ad almeno una quota minima del proprio patrimonio;

7. obbliga le fondazioni a dismettere le partecipazioni nelle banche conferite entro un periodo di sei anni.

Sembrava che, almeno nel dettato della legge, il cammino delle fondazioni di origine bancaria fosse inesorabilmente segnato e, in parte, compiuto. Tuttavia, in tempi molto recenti, un emendamento alla legge finanziaria presentato dal ministro dell'Economia e trasformato in legge nel dicembre del 2001 ha rimesso molte cose in discussione, segnando un ritorno delle fondazioni di origine bancaria sotto il controllo dell'amministrazione pubblica. L'impatto di questa legge non è chiaro, non essendo ancora pubblicati tutti i decreti ministeriali di attuazione della stessa. È comunque assai probabile un ritorno al passato, la fine di quell'esperimento di innovazione sociale che descriveremo nel quinto capitolo e l'allontanamento delle fondazioni di origine bancaria dal settore nonprofit.

Le organizzazioni non lucrative di utilità sociale (Onlus). Molto probabilmente non esiste una statistica su quale sia la legge, in materia di nonprofit, finora più criticata. Se però a qualcuno dovesse venire in mente di provare a stilarla, è già scontato il risultato: non ci sono dubbi sul fatto che il primato spetterebbe al d. lgs. 460/1997, la legge istitutiva della figura giuridico-fiscale delle Onlus o, molto più familiarmente, Legge Zamagni, dal nome dell'economista bolognese che fu chiamato a presiedere la commissione governativa che elaborò lo schema di quello che poi divenne il decreto legislativo.

Praticamente interminabile l'elenco delle critiche mosse al provvedimento in questi anni: è una legge fiscale che però fa continui rimandi al codice civile sovrapponendosi ad esso e creando confusione; concede agevolazioni fiscali alle donazioni talmente modeste che invece di incrementarle finisce con il disincentivarle; ha previsto una serie di organismi di nuova istituzione che, come nel caso della cosiddetta *authority*, stanno iniziando solo ora le proprie attività; per ottenere la qualifica di Onlus le organizzazioni nonprofit hanno dovuto riscrivere i loro statuti, dovendo così sopportare una serie di costi amministrativi non indifferenti per le loro esigue casse; la legge soffre della «sindrome di Napoleone», vuole fare, cioè, tante cose, ma poi nei fatti si rivela di difficilissima applicazione.

Sono solo alcune delle critiche mosse alla «460». Al punto che, un paio di anni fa, un nutrito gruppo di associazioni aveva addirittura lanciato (nel corso di un convegno significativamente intitolato «E non ci fanno volare») una raccolta di firme per proporne l'abrogazione.

Eppure, a distanza di un lustro dall'approvazione, oggi la Legge Zamagni ha cominciato a brillare di una luce nuova. E questo, non tanto perché tutto d'un tratto ciò che era nero sia diventato improvvisamente bianco o viceversa. Ma perché si comincia a rilevare come il vero, straordinario contributo che questa legge ha saputo dare al nonprofit è stato non tanto quello di regolamentare una serie di fattispecie giuridiche (cosa che comunque, superando molteplici ostacoli, ha fatto) quanto, piuttosto, di riuscire a portare questo mondo al centro del dibattito politico-economico italiano. Una encomiabile azione di critica costruttiva al provvedimento portata avanti dalle associazioni di secondo livello del terzo settore (come, per esempio, il Forum permanente del terzo settore) e i primi risultati concreti che la sua applicazione ha cominciato a sortire hanno fatto emergere con forza una «questione nonprofit» di cui fino ad allora in Italia gran parte dei cittadini non era a conoscenza. Sono così cominciati i confronti internazionali per vedere cosa accade all'estero in fatto di disciplina fiscale delle liberalità e delle donazioni, si è discusso dell'opportunità che l'istituenda authority non avesse solo poteri di controllo formale dell'attività delle Onlus ma anche di indirizzo. Sono state fatte ampie riflessioni sul concetto di strumentalità dell'attività commerciale svolta da un ente non lucrativo, e così via.

La «460», in sostanza, si è rivelata una «legge pretesto» che ha scoperchiato il vaso di Pandora e portato all'attenzione del decisore politico, così come del mondo imprenditoriale, la questione nonprofit in Italia. E così le Onlus sono diventate il grimaldello per aprire le porte di una ricognizione ad ampio spettro su cosa bisogna fare nel nostro paese per mettere il nonprofit in grado di procedere spedito verso il conseguimento di traguardi sempre più ambiziosi e strategici per la crescita della comunità.

La legge, inoltre, non si limita a definire una nuova figura giuridica, seppure solo di natura tributaria come, appunto, quella delle Onlus, e le condizioni che si devono verificare affinché esse possano beneficiare di determinate agevolazioni fiscali. Il provvedimento prevede anche il lancio di strumenti estremamente utili ad aprire nuovi canali di approvvigionamento finanziario per le organizzazioni nonprofit. È il caso, per esempio, dei titoli di solidarietà (art. 29) che gli enti senza fine di lucro possono emettere per cercarsi le risorse sul mercato dei capitali.

Si è inoltre scoperto che, pur essendo indubbiamente bassa la deducibilità fiscale prevista per le imprese che effettuano liberalità in denaro alle Onlus (4 milioni di lire, poco più di

2.000 euro o il 2% del reddito d'impresa), l'applicazione estensiva della norma consentirebbe comunque di raccogliere cifre di tutto rispetto: almeno 500 milioni di euro, è stato calcolato sulla base dei dati di bilancio delle prime 120 aziende italiane per redditività.

Morale: quella che è stata una delle leggi sul nonprofit più criticate ha finito con il diventare uno strumento (a questo punto si può dirlo senza timore di apparire enfatici) indispensabile per far irrompere in modo deciso, nel dibattito politico ed economico italiano, le istanze del terzo settore.

La riforma della legislazione sul settore nonprofit

Dalla discussione condotta fino a questo punto è facile intuire come l'ordinamento giuridico italiano sul settore nonprofit sia estremamente frammentato; non è facile capire che cosa sia una nonprofit perché queste organizzazioni non sono normate in modo unitario, ma vanno rintracciate entro una moltitudine di leggi speciali che disciplinano settori o tipologie organizzative particolari. La legislazione italiana sul settore nonprofit è infatti il risultato di una produzione normativa abbondante che è venuta a stratificarsi nel corso degli anni e sembra ora mostrare tutti i limiti del processo disordinato che le ha dato vita. È dunque estremamente vivo il bisogno di una riforma che sia in grado di ridefinire i confini complessivi dell'universo nonprofit unificando (senza confusioni) e distinguendo (senza introdurre separazioni artificiose) le figure giuridiche di riferimento. L'apparato legislativo italiano necessita di una revisione profonda anche per adeguare il trattamento normativo delle organizzazioni nonprofit alle aspettative e alle funzioni che oggi vengono loro attribuite.

Innanzitutto è la legislazione civilistica che sembra ormai mostrare qualche falla. In essa infatti la definizione di organizzazione nonprofit è tutt'altro che chiara e distinta; più che sul vincolo di non distribuzione dei profitti, così come l'abbiamo definito nel primo capitolo, essa si basa infatti su una labile distinzione tra finalità perseguite, ideali per associazioni, fondazioni e comitati (le figure del libro primo del codice civile), economiche e commerciali per le imprese regolate dal libro quinto.

Dalla distinzione tra finalità ideali e finalità economiche sembra emergere una conseguenza paradossale: secondo il nostro ordinamento, lo svolgimento di ogni attività di carattere economico ed imprenditoriale presuppone la presenza di una finalità di lucro individuale, cioè il desiderio di vedere distribuiti profitti o di godere di condizioni di favore nell'uso del lavoro. È tuttavia estremamente chiaro, anche alla luce delle informazioni statistiche ora disponibili sul settore, che esistono significative esperienze imprenditoriali nate sul presupposto della non distribuzione dei profitti e della loro accumulazione a riserva. Allo stesso tempo è assai evidente che la separazione tra motivazioni ideali e svolgimento di attività economicamente significative (e quindi la presenza di risorse imprenditoriali in grado di organizzare lo svolgimento di queste attività) è assolutamente fittizia; molte finalità ideali – per essere perseguite con successo – richiedono infatti lo svolgimento di attività economiche di tutto rispetto, basti pensare al caso emblematico della finalità che consiste nel dare un lavoro a soggetti svantaggiati (fisici, psichici o a causa di un particolare status sociale).

Sembra dunque chiaro che una riforma della legislazione del settore nonprofit italiano dovrà in primo luogo sanare questa anomalia, riconoscendo la possibilità di svolgere attività di impresa anche alle forme giuridiche tipiche del settore nonprofit e muovendosi nella direzione del riconoscimento della «impresa sociale» di cui molto si è parlato nel corso degli ultimi anni.

In secondo luogo, il nostro ordinamento deve liberarsi del

sospetto e della avversione di principio verso le istituzioni private; sospetto ereditato dalla tradizione giuridica della rivoluzione francese e dalla opposizione ai «corpi intermedi» del codice napoleonico. Il segno evidente di tale ostilità è l'intricato sistema di permessi ed autorizzazioni che caratterizza la nascita e l'esistenza delle nostre organizzazioni nonprofit; altra manifestazione di questa ostilità è anche una legislazione fiscale estremamente restrittiva in tema di deducibilità delle donazioni ad organizzazioni nonprofit.

Una nuova normativa italiana sul settore nonprofit potrebbe avere un carattere «stratificato», individuando innanzitutto i caratteri necessari e fondamentali di ogni organizzazione nonprofit e gli obblighi che essa dovrebbe rispettare, per passare poi a stabilire sistemi di vincoli e di incentivi diversificati sulla base delle attività svolte (più o meno meritevoli) e delle dimensioni economiche.

Un primo strato potrebbe essere costituito da tutte quelle organizzazioni che abbiano natura giuridica privata e siano soggette ad un vincolo stringente di non distribuzione dei profitti. Questo vasto insieme di organizzazioni, che potrebbe includere sia organizzazioni con finalità mutualistiche che con finalità solidaristiche, potrebbe godere di alcuni benefici comuni ed essere soggetto ad obblighi minimi di rendicontazione e trasparenza.

In un secondo strato potrebbero rientrare le organizzazioni che, oltre ad avere natura giuridica privata ed essere soggette ad un vincolo di non distribuzione dei profitti, svolgano attività socialmente meritorie. Ad esse andrebbe riconosciuto un trattamento fiscale più favorevole rispetto a quelle del primo strato; ad esempio, oltre alla esenzione dalle imposte sui redditi, esse potrebbero garantire ai donatori la detraibilità fiscale delle donazioni effettuate. Il sistema civilistico potrebbe essere a maglie larghe, quello tributario a maglie strette, concedendo agevolazioni tributarie più elevate ai soggetti che passino la seconda soglia (e prevedendo una gradualità anche all'interno di quest'ultima sulla base delle «opinioni» prevalenti rispetto alla meritevolezza dei fini perseguiti).

Oltre a ciò, il sistema non dovrebbe prefigurare forme giuridiche rigide, come ha fatto finora la legislazione, separando artificiosamente diverse forme organizzative; al contrario, dovrebbe concedere agli enti di scegliere la forma organizzativa (e dunque la fattispecie giuridica, anche societaria) più opportuna per lo svolgimento delle proprie attività ed il perseguimento delle proprie finalità. In tal modo, organismi destinati ad attuare una funzione prevalentemente redistributiva potrebbero utilizzare le forme dell'associazione e della fondazione, mentre le vere e proprie «imprese sociali» potrebbero trovare più conveniente adottare una forma societaria. È ovvio che il secondo insieme di organizzazioni dovrebbe essere assoggettato a vincoli (verso terzi, di rendicontazione, trasparenza, ecc.) assai più stringenti rispetto al primo; analogamente, questi vincoli potrebbero essere graduati sulla base delle dimensioni economiche delle organizzazioni stesse. Sarebbe così rimessa in discussione anche la rigida compartimentazione tra organizzazioni di volontariato, associazioni e cooperative sociali che caratterizza attualmente il nostro ordinamento.

La crescita dei privilegi fiscali dovrebbe poi coincidere con un incremento delle regolazioni cui le organizzazioni sono soggette. In questo contesto esisterebbe ampio spazio, anzi sarebbe estremamente opportuna la presenza di un organismo autonomo (più attrezzato ed indipendente di un ministero) che eserciti tanto la funzione di controllo sul rispetto dei requisiti di legge (principalmente il rispetto del vincolo di non distribuzione dei profitti e poi la certificazione dello svolgimento di attività in un settore o verso soggetti ritenuti socialmente meritori), quanto una funzione «promozionale» del settore (una sorta di *moral suasion* che miri a diffondere le *best practises*, contribuisca a determinare standard di condotta, di trasparenza e di rendicontazione per il settore). Una funzione simile a quella svolta dalla Charity Commission britannica.

Nel nostro ordinamento non vi è traccia di una simile istituzione poiché l'attività di controllo sulle organizzazioni del terzo settore dotate di personalità giuridica ha finora assunto un carattere burocratico ed è stata affidata ai ministeri o alle regioni; il controllo sulle organizzazioni prive di personalità giuridica, che rappresentano la gran parte del settore nonprofit italiano, non è invece esercitato da nessuno, se si fa eccezione per alcuni enti soggetti a legislazione speciale, come le organizzazioni di volontariato o le cooperative sociali. Una parziale eccezione a questa regola è rappresentata dalle Onlus, per le quali la legislazione ha previsto uno specifico strumento di controllo, sia pure privo delle caratteristiche di una vera e propria autorità indipendente: l'Agenzia per le Onlus.

L'istituzione di questo organismo di controllo era prevista già dalla legge con la quale il parlamento ha delegato il governo a emanare il decreto legislativo istitutivo delle Onlus. Infatti, all'articolo 3, comma 190, della legge 23 dicembre 1996, n. 662, si legge: «Con decreto del presidente del Consiglio dei ministri, su proposta dei ministri delle Finanze, del Lavoro e della Previdenza sociale e per la Solidarietà sociale, da emanare entro il 31 dicembre 1997, è istituito un organismo di controllo». In sostanza, quella che è stata subito ribattezzata (sicuramente in modo improprio e confuso) col nome di authority del volontariato avrebbe dovuto vedere la luce poco dopo il varo del d. lgs. 460/1997, in modo da garantire subito alle Onlus un punto di riferimento stabile con cui interloquire.

Purtroppo le cose sono andate molto diversamente da come sulla carta erano state immaginate. Ben presto, infatti, sull'authority cominciarono ad addensarsi fitte nubi. Innanzitutto, emerse il problema della copertura dei costi del nuovo organismo; il problema non doveva certamente essere insormontabile, se si pensa che la dotazione finanziaria è stata ora stabilita in 5 miliardi di lire (circa 2,6 milioni di euro), ma il clima economico del momento e la necessità di rispettare i parametri di Maastricht per aderire alla moneta unica europea imponevano una vera e propria blindatura del bilancio dello Stato. Quasi contemporaneamente cominciò poi il balletto delle città che avrebbero dovuto ospitare la struttura: Bologna, Padova, Milano, Roma, Palermo si contesero per mesi l'investitura. Terzo ostacolo: in concreto, quali compiti avrebbe dovuto svolgere l'authority? Avrebbe dovuto limitarsi solo ad effettuare controlli formali di legittimità sulle Onlus, oppure avrebbe avuto anche poteri di indirizzo e promozione del nonprofit nel paese? E poi ancora: di quanti membri avrebbe dovuto essere composto l'organismo? E quali profili professionali erano opportuni?

Insomma, nacquero talmente tante e tali questioni attorno a questa struttura che bisognerà attendere il 30 settembre del 2000 per veder pubblicato sulla Gazzetta Ufficiale il decreto che stabilisce che l'authority avrà sede a Milano, città con la più alta concentrazione di organizzazioni nonprofit e di persone impegnate in attività di pubblica utilità e di volontariato. Ma non finisce qui. Manca ancora il provvedimento che deve definire funzioni, poteri e composizione dell'authority; arriva nel marzo 2001 con il Dpcm 329 che determina il nome dell'organismo (Agenzia per le Onlus), ne stabilisce la composizione (un presidente e dieci membri, tre dei quali nominati dal ministro delle Finanze, sei da quello del Welfare ed uno dalla Conferenza stato-regioni) e ne chiarisce i compiti. Tra questi vanno segnalati i poteri di:

a) esercitare indirizzo, promozione, vigilanza e ispezione per la uniforme e corretta osservanza della disciplina legislativa e regolamentare per quanto concerne le Onlus, il terzo settore e gli enti non commerciali;

b) formulare osservazioni e proposte in ordine alla normativa delle Onlus, del terzo settore e degli enti non commerciali;

c) promuovere iniziative di studio e ricerca delle organizzazioni Onlus, del terzo settore e degli enti non commerciali in Italia e all'estero;

d) promuovere campagne per lo sviluppo e la conoscenza delle Onlus, del terzo settore e degli enti non commerciali in Italia, al fine di favorirne e diffonderne la conoscenza e di valorizzarne il ruolo di promozione civile e sociale;

e) promuovere azioni di qualificazione degli standard in materia di formazione e di aggiornamento per lo svolgimento delle attività delle Onlus, del terzo settore e degli enti non commerciali;

f) curare la raccolta, l'aggiornamento ed il monitoraggio dei dati e documenti delle Onlus, del terzo settore e degli enti non commerciali in Italia;

g) vigilare sull'attività di raccolta fondi e di sollecitazione della fede pubblica, anche attraverso l'impiego di mezzi di comunicazione svolta dalle Onlus, dal terzo settore e dagli enti non commerciali, allo scopo di assicurare la tutela da abusi e le pari opportunità di accesso ai mezzi di finanziamento;

h) collaborare nella uniforme applicazione delle norme tributarie, formulando al ministero delle Finanze proposte su fattispecie concrete o astratte riguardanti il regime fiscale delle Onlus, del terzo settore e degli enti non commerciali.

Non si tratta ancora di una vera e propria Charity Commission, ma sicuramente sono state poste le premesse per riaprire il dibattito sul futuro del terzo settore in Italia.

4. *Che cosa fa il settore nonprofit*

Settore nonprofit: un quadro complessivo

Le attività svolte dal settore nonprofit italiano sono ampie e diversificate: dai servizi alla persona alla tutela del patrimonio artistico ed ambientale, dalla diffusione della pratica sportiva al sostegno lavorativo dei soggetti più deboli, dall'assistenza sanitaria alla gestione del tempo libero. Per realizzare queste variegate attività, il settore si è dotato di strutture organizzative assai differenti le une dalle altre, scegliendo di volta in volta quelle più adatte ai compiti da svolgere: organizzazioni leggere basate esclusivamente – o quasi – sullo sforzo dei volontari; vere e proprie imprese – come alcune cooperative sociali – che fanno uso di lavoratori dipendenti e di un'ampia dotazione di capitale; organizzazioni con pochi lavoratori ma con un significativo patrimonio, come le fondazioni. Tutte queste diverse forme organizzative sono accomunate dalla capacità di combinare – con modalità differenti – lavoro volontario, lavoro retribuito e capitale (attrezzature, immobili o anche semplice capitale finanziario) per produrre servizi alla persona e alla comunità.

La misurazione della quantità di capitale utilizzato dal settore nonprofit (come pure dal resto dell'economia) presenta tuttora non pochi problemi. Al contrario, nel corso degli ultimi anni sono stati compiuti significativi passi in avanti nella stima dell'occupazione generata dalle organizzazioni del terzo settore. In particolare, il pionieristico lavoro di ricerca avviato dalla Johns Hopkins University di Baltimora (Usa) e diretto da Lester Salamon ed Helmut Anheier, ha consentito – nell'arco di un decennio – di disporre di dati importanti e comparabili internazionalmente sulla dimensione occupazionale del settore.

Il versante italiano di questa ricerca internazionale – curato dal Centro di ricerche sulla cooperazione dell'Università cattolica, dall'Irs e dall'Istat – ha mostrato come il settore nonprofit italiano – pur piccolo se confrontato con quello di altri paesi non dissimili dal nostro – generi un livello di occupazione niente affatto trascurabile.

Le stime più recenti dell'Istat evidenziano come – nel 1999 – nel settore nonprofit italiano trovassero un impiego retribuito circa 630.000 lavoratori, la gran parte con contratto di lavoro dipendente (circa 530.000) e, in misura minore, con contratti di collaborazione (circa 80.000) oppure distaccati da imprese private o dalla pubblica amministrazione (circa 20.000). Queste cifre collocano le organizzazioni del settore nonprofit attorno al 2,7% dell'occupazione complessiva non agricola del nostro paese. Si tratta di un ammontare paragonabile a quello del settore della finanza e delle assicurazioni e dunque di assoluto rilievo per un sistema economico, come l'Italia, che per lungo tempo è stato caratterizzato da tassi di disoccupazione a due cifre.

Ai lavoratori retribuiti vanno poi aggiunti circa 3,2 milioni di volontari (che, ovviamente, non prestano i propri servizi a tempo pieno), 96.000 religiosi e 28.000 obiettori di coscienza.

Il settore nonprofit italiano si caratterizza – almeno dal punto di vista occupazionale – come un settore molto concentrato. L'universo censito dall'Istat risulta infatti composto da circa 205.000 organizzazioni attive. Di queste, ben 172.000 (oltre l'84% del totale) si basano esclusivamente sul lavoro volontario, mentre le restanti 33.000 hanno almeno un lavoratore dipendente. Di queste ultime, le circa 252 organizzazioni di dimensioni maggiori (lo 0,8% delle organizzazioni con lavoratori dipendenti) danno lavoro ad oltre 200.000 persone (il 38% dei lavoratori dipendenti del settore), con una media di oltre 800 dipendenti per organizzazione.

Creazione di occupazione

Il settore nonprofit è dunque, oltre che un buon produttore di quei servizi che descriveremo tra breve (alla persona, culturali, artistici, sportivi, di ricerca, ecc.), anche un «creatore di lavoro». Nonostante offrire nuovi posti di lavoro non sia sicuramente lo scopo primario perseguito dagli operatori del settore, nondimeno si tratta di un ruolo importante che non può essere trascurato. Inoltre, al di là del numero di posti di lavoro generati, va osservato che – mentre l'occupazione di molti settori produttivi, specialmente quelli industriali, si è ridotta nel corso del tempo – il numero di lavoratori del settore nonprofit è cresciuto sensibilmente nel passato decennio, sia in Italia che nei principali paesi industrializzati. Si stima che, in Italia, gli occupati del settore nonprofit siano cresciuti di circa 200.000 unità (da 400.000 ad oltre 600.000 lavoratori retribuiti) negli ultimi 10 anni, a fronte di una situazione occupazionale complessiva sostanzialmente stabile. Tendenze analoghe sono evidenziate, nel periodo 1990-95, anche dai principali paesi europei (Francia, Germania, Gran Bretagna ed Olanda), per i quali sono disponibili significativi dati di confronto. Secondo i dati del progetto curato dalla Johns Hopkins, in questi paesi l'occupazione del settore nonprofit è cresciuta ad un ritmo annuo del 4%, più che doppio rispetto alla crescita dell'occupazione complessiva entro il sistema economico. Buona parte di questa crescita viene spiegata dallo sviluppo dell'assistenza sociale che, da sola, ha generato circa il 50% dei nuovi posti di lavoro del settore nonprofit di questi paesi europei.

Il settore nonprofit si presenta perciò come un potenziale serbatoio occupazionale per i paesi occidentali, attanagliati dal problema della disoccupazione indotta dalle ristrutturazioni e dalle riconversioni industriali degli ultimi decenni. Con questo non si deve però cadere nell'errore di ritenere che sia proprio la natura nonprofit – in sé – a spiegare il potenziale occupazionale del settore o a rappresentare la panacea di tutti i problemi. La capacità di crescita occupazionale è piuttosto una miscela inscindibile derivante sia dalla peculiarità della forma proprietaria di queste organizzazioni (e dunque del vincolo alla distribuzione dei profitti) che dalla loro specializzazione settoriale.

Nelle economie occidentali è infatti il settore dei servizi – dove le nonprofit concentrano le proprie attività – il comparto che accorpa una rilevante crescita della domanda ed un incremento modesto della produttività, fattori che contribuiscono a creare un generoso incremento dell'occupazione. L'invecchiamento della popolazione, il maggior numero di donne che lavorano, la comparsa di nuove esigenze nella cura dei disabili, ed altri fenomeni simili hanno infatti portato ad una crescita sensibile della domanda di servizi di cura alla persona, facendo transitare per il mercato una domanda che prima era soddisfatta prevalentemente entro la struttura familiare (le donne svolgevano la gran parte dei lavori di cura) o al più dal mercato nero (si pensi al fenomeno degli immigrati che svolgono compiti di cura alle persone anziane).

La produzione industriale ha beneficiato dei sensibili incrementi di produttività indotti dall'automazione dei processi produttivi, che ha portato – a parità di produzione – a ridurre grandemente il numero dei lavoratori. Al contrario, l'erogazione di servizi, specie dei servizi alla persona, non è a tutt'oggi in grado di prescindere dalla presenza di lavoratori in carne ed ossa; per questa ragione, l'incremento della domanda di servizi si è tradotto in sensibili crescite del numero di lavoratori impiegati.

In virtù della propria specializzazione settoriale, anche le organizzazioni nonprofit hanno beneficiato dunque di questa crescita della domanda e dell'occupazione. Oltre a godere di questa tendenza generale alla crescita della domanda di servizi, le organizzazioni nonprofit mostrano anche caratteristiche peculiari che ne favoriscono il progresso e la capacità di cogliere le esigenze dei consumatori. Infatti, è proprio il vincolo di non distribuzione dei profitti che – come vedremo anche nei paragrafi seguenti – costituisce la necessaria garanzia per i consumatori in mercati – come quello dei servizi alla persona – caratterizzati da un livello modesto di standardizzazione dei prodotti, da una difficile valutazione della qualità degli stessi e, in generale, da un rapporto fiduciario assai complesso tra fornitore e consumatore.

Una opportuna collocazione settoriale e una struttura proprietaria ed organizzativa appropriata sono dunque gli elementi che hanno consentito alle organizzazioni del terzo settore di rispondere meglio alla crescente domanda di servizi alla persona. Questa miscela di caratteristiche era già stata colta, con notevole lungimiranza, dall'allora presidente della Commissione europea, Jacques Delors, che – in un ormai famoso Libro bianco della Commissione pubblicato nel 1993 e intitolato *Crescita, competitività e occupazione. La sfida e le vie da percorrere per entrare nel XXI secolo* – aveva indicato proprio nel settore nonprofit una delle potenziali risposte alla disoccupazione europea.

Vi è poi un ulteriore elemento del rapporto tra terzo settore ed occupazione che merita di essere ripreso: il nonprofit si rivela sempre di più un ottimo viatico per altre professioni; una palestra di formazione in grado di mettere in risalto tanto la motivazione delle persone che la loro capacità di cooperare con altri per gestire situazioni complesse e pluralità di interessi coinvolti. Caratteristiche personali come la motivazione, la capacità cooperativa, l'abitudine alla gestione di interessi complessi e contrapposti, utili in generale entro il mondo del lavoro e capaci di segnalare alcune ricercate caratteristiche individuali dei potenziali collaboratori, sono sempre più apprezzate dalle imprese a fine di lucro, molte delle quali considerano un *atout* l'aver maturato esperienze di volontariato o, comunque, di partecipazione all'attività di un'organizzazione non lucrativa. Ancora: il nonprofit è un laboratorio straordinario di autoimprenditorialità. Oggi che il cosiddetto posto fisso non esiste più, che tutti suggeriscono di diventare imprenditori, innanzitutto di se stessi, ecco che specifiche tipologie organizzative nonprofit come, per esempio, le cooperative sociali, si rivelano un luogo privilegiato dove imparare a mettersi in proprio (preferibilmente insieme ad altri) e quindi crearsi e creare lavoro.

Settore nonprofit: le aree di attività

Gli elementi positivi e le potenzialità del nonprofit italiano non ci possono tuttavia fare dimenticare che, in termini occupazionali, il terzo settore del nostro paese mostra dimensioni assai più modeste rispetto a quelle dei principali vicini. Con il 2,7% dell'occupazione complessiva non agricola, il peso occupazionale del settore nonprofit italiano risulta inferiore non solo a quello dell'Olanda (12,4% dell'occupazione), dell'Irlanda (11,5%), del Belgio (10,4%) e degli Stati Uniti (7,8%), che rappresentano casi peculiari rispetto a questo fenomeno, ma anche a quello di paesi europei molto più simili al nostro, come Gran Bretagna (6,2%), Francia (4,9%), Germania e Spagna (4,5%).

Numerose sono le ragioni che spiegano queste rilevanti differenze: un contesto normativo complessivamente sfavorevole al settore; una tradizione politica – diffusa tanto a destra che a sinistra – che ha sempre fatto coincidere il concetto di «servizio pubblico» con quello di «servizio erogato dalle amministrazioni pubbliche»; il ruolo rilevante della famiglia nella erogazione dei servizi alla persona; un modello di consumi ancora poco orientato ai servizi, e così via.

Queste differenze, talora assai massicce, tra l'Italia e gli altri paesi di cui stiamo discutendo, si riflettono molto bene nel peso assunto dai diversi comparti entro cui il settore nonprofit opera. Proprio l'analisi dei settori di intervento – ed il confronto con altri paesi – ci consentirà di iniziare la descrizione delle attività svolte dal settore nonprofit italiano. Ne emergerà una profonda diversità rispetto ai paesi con un peso occupazionale più elevato (Stati Uniti, Olanda, Irlanda), ma anche una relativa lontananza da paesi – come la Gran Bretagna – con un peso occupazionale più vicino al nostro. Dal punto di vista delle attività svolte, il settore nonprofit italiano pare essere piuttosto vicino a quello dei nostri partner europei continentali (Francia, Germania e Spagna), dove il settore riveste un peso relativamente più modesto.

Quattro aree di attività (1. cultura, sport e ricreazione, 2. istruzione e ricerca, 3. sanità e 4. assistenza sociale) costituiscono ben oltre i tre quarti del settore nonprofit italiano; questo dato è ben evidenziato dalla tabella 1 che mostra in che modo le organizzazioni, i lavoratori retribuiti, i volontari e le entrate totali si distribuiscono tra i diversi comparti di attività del settore nonprofit italiano.

Tra queste aree di attività è tuttavia quella dell'assistenza sociale a presentare il maggiore peso, con oltre il 27% dell'occupazione complessiva. In questo senso, il settore nonprofit italiano si conforma, seppure in misura più sfumata che altrove, al modello più comune tra i paesi europei, ovvero quello di «servizio sociale». I servizi sociali risultano infatti il settore prevalente in termini di peso occupazionale anche in Austria, Francia, Germania e Spagna. Va rilevato che il medesimo risultato statistico è tuttavia l'esito di fenomeni diversi: in Austria e in Germania, la prevalenza dei servizi sociali è il prodotto dell'applicazione del principio di sussidiarietà, per cui la fornitura

TAB. 1. *Peso dei diversi comparti del settore nonprofit italiano (valori percentuali)*

	Organizzazioni	Lavoratori retribuiti	Volontari	Entrate totali
Cultura, sport e ricreazione	63,41	11,58	50,63	17,39
Istruzione e ricerca	5,26	19,68	3,94	13,49
Sanità	4,37	20,46	9,82	18,81
Assistenza sociale	8,74	27,07	15,74	20,01
Ambiente	1,48	0,46	2,58	0,47
Sviluppo economico e coesione sociale	1,96	5,00	1,10	3,89
Tutela dei diritti e attività politica	3,09	2,14	6,27	2,67
Filantropia e promozione del volontariato	0,56	0,15	1,38	2,06
Cooperazione e solidarietà internazionale	0,65	0,26	1,07	1,15
Religione	2,67	1,93	5,12	2,23
Relazioni sindacali e rappresentanza di interessi	7,07	9,42	1,98	11,09
Altre attività	0,75	1,84	0,37	6,74
Totale settore nonprofit (valore assoluto)	221.412	629.412	3.345.021	37,76 *

* Miliardi di euro.

Fonte: Istat, *Istituzioni nonprofit in Italia*, 2001.

di servizi alla persona avviene prioritariamente attraverso le istituzioni nonprofit; nei paesi latini, al contrario, le organizzazioni nonprofit, lungi dal portare la responsabilità fondamentale nell'erogazione dei servizi, hanno tradizionalmente occupato un ruolo solo complementare a quello delle organizzazioni pubbliche.

In Italia un peso molto elevato è rivestito anche dall'area della sanità (quasi il 21% dell'occupazione totale), dove il settore nonprofit italiano occupa da tempo un ruolo rilevante che lo vede affiancare – e talvolta addirittura sostituire – le istituzioni pubbliche, specie nelle aree meridionali del paese dove queste ultime sono meno diffuse ed efficienti. L'area sanitaria svolge un ruolo primario entro il settore nonprofit anche in paesi come il Giappone, gli Stati Uniti e l'Olanda, dove la quota di questo comparto sull'occupazione complessiva del settore nonprofit supera sempre il 40%. In questi paesi sono soprattutto gli ospedali – in massima parte nonprofit – a spiegare il forte peso dell'area sanitaria.

Un apporto non irrilevante all'occupazione del settore nonprofit italiano viene anche dall'area dell'istruzione e della ricerca, che pesa per il 20% dell'occupazione complessiva. Il settore dell'educazione riveste un ruolo primario in paesi come l'Irlanda (il 53,7% dell'occupazione del nonprofit è nell'educazione), la Gran Bretagna (41,5%), il Belgio (38,8%) e gli Stati Uniti (21,5%). In Gran Bretagna e negli Stati Uniti il peso dell'area educativa è spiegato dalla diffusione delle istituzioni laiche attive nell'istruzione universitaria, mentre in Irlanda e Belgio il fenomeno origina nel sistema educativo di matrice confessionale dell'istruzione primaria e secondaria, un fenomeno assai simile a quello che caratterizza il nostro paese.

Il comparto dell'arte, della cultura e della ricreazione riveste un ruolo più modesto entro il settore nonprofit italiano, specie se si analizza l'impatto occupazionale (vi si genera, infatti, solo il 12% dell'occupazione del settore nonprofit). La natura dei servizi prodotti in questo comparto rende possibile la loro erogazione attraverso strutture organizzative leggere, caratterizzate dalla presenza rilevante di volontari e da un contributo modesto del lavoro retribuito. Infatti, se si analizza il peso dei volontari operanti in quest'area, il peso del settore cresce sensibilmente fino a superare il 50% del totale dei volontari che vi operano. Probabilmente sarà proprio questo il comparto del settore nonprofit italiano che potrà accrescere maggiormente la propria capacità di generare occupazione e redditi, come vedremo tra breve.

Settore nonprofit e produzione di servizi alla persona

L'area dei servizi alla persona può essere considerata come la culla del settore nonprofit, il luogo che ha dato origine a molte delle organizzazioni in esso operanti e che tuttora ne rappresenta l'anima più conosciuta e popolare. Basti pensare alle organizzazioni che con maggiore probabilità un cittadino sarebbe portato a citare quando gli si chieda se conosce qualche nonprofit: Emergency, la Comunità di San Patrignano, le scuole dei Gesuiti, e così via.

L'azione e la storia delle organizzazioni nonprofit attive nell'area dei servizi alla persona si intrecciano strettamente con l'evoluzione del ruolo delle politiche pubbliche entro il settore del welfare ed in particolare nelle aree della sanità, dell'assistenza e dell'educazione. Molte organizzazioni nonprofit hanno infatti anticipato l'intervento pubblico in questi campi; alcune sono nate come esito di carità individuale – come le esperienze volte ad alleviare condizioni di povertà o di indigenza, con lo storico esempio della Società di San Vincenzo – altre come strumento per l'esercizio di una missione laica o religiosa – come gli ospedali degli ordini religiosi, ad esempio i Fatebenefratelli, o le scuole salesiane – altre ancora come mezzo per soddisfare esigenze di carattere mutualistico, come nel caso delle forme di assicurazione volontaria tra operai nei periodi della prima industrializzazione.

Lo sviluppo di ordinate ed ampie politiche pubbliche entro questi settori di intervento ha talora portato queste organizzazioni – specie nel nostro paese – a scomparire, oppure a rivestire un ruolo marginale ed ancillare rispetto alla pubblica amministrazione, oppure ancora a mutare radicalmente il proprio campo di azione. Non sono mancati tuttavia casi in cui lo sviluppo di politiche pubbliche nei settori della sanità, dell'assistenza e dell'educazione è avvenuto senza rimpiazzare le organizzazioni nonprofit già operanti in quei settori, seppure con dimensioni insufficienti a garantire una copertura universale e gratuita dei servizi, con organizzazioni e personale dipendenti dallo Stato. In Germania, ad esempio, la fornitura pubblica di servizi sociali avviene tuttora grazie ai fondi (garantiti dal gettito fiscale) che la pubblica amministrazione eroga alle organizzazioni private senza scopo di lucro, mettendole così in grado di soddisfare le esigenze della popolazione nel suo complesso.

In Italia si è assistito a lungo alla realizzazione di politiche che hanno fatto dell'amministrazione pubblica il fornitore quasi esclusivo di servizi alla persona. Le tendenze più recenti e le difficoltà sperimentate nella fornitura pubblica di servizi hanno tuttavia indotto a riconsiderare il ruolo e le potenzialità delle organizzazioni nonprofit in queste aree di azione. Così, sempre di più, si verificano situazioni e si sperimentano politiche che prevedono l'integrazione di elementi pubblici e privati nella fornitura di servizi.

Questo nuovo corso nell'area dei servizi alla persona trova una spiegazione sia nelle difficoltà intrinseche sperimentate dalle istituzioni pubbliche nell'erogazione dei servizi, che nella riscoperta di alcuni meriti tipici delle organizzazioni senza scopo di lucro.

Tra le difficoltà, la più sottolineata – anche se non necessariamente la più importante – è la crescita elevata della spesa (assoluta e come quota del prodotto interno lordo) necessaria a finanziare l'erogazione dei servizi. Questa può essere imputata a diversi fenomeni. In primo luogo, il cambiamento di alcuni fattori demografici cruciali per l'equilibrio di un sistema di welfare; ad esempio, il rapidissimo processo di invecchiamento della popolazione – con gli ultrasessantenni che rappresentavano il 15,5% della popolazione italiana nel 1960 ed erano saliti al 21% nel 1995 – ha contribuito grandemente ad accrescere la spesa sanitaria ed assistenziale, visti i maggiori problemi di salute degli anziani e l'aumento del numero di soggetti con patologie croniche. In secondo luogo, la crescita della spesa deriva da ragioni di carattere «tecnologico», conseguenza della differente evoluzione della produttività nell'industria manifatturiera e nella produzione dei servizi alla persona, secondo il fenomeno denominato «malattia dei costi» dall'economista William Baumol in un famoso articolo del 1966. La crescita della produttività manifatturiera è stata in passato molto più rapida di quella dei servizi; ciononostante, l'evoluzione dei salari dei due settori non è stata molto diversa. Di conseguenza, la quota di risorse (cioè la percentuale del prodotto interno lordo) destinata alla produzione di servizi alla persona (o di welfare in generale) è cresciuta progressivamente nel corso del tempo. Questa crescita ha spinto taluni osservatori a parlare di «insostenibilità» economica dei sistemi di welfare occidentali. Più che una insostenibilità economica in senso stretto, l'aumento dei costi dei sistemi di welfare determina invece una sorta di «insostenibilità politica» poiché comporta incrementi della pressione fiscale difficilmente accettabili da parte dei cittadini, soprattutto quando il sistema di protezione sociale manifesti accentuati caratteri redistributivi.

L'incremento dei costi nella produzione pubblica di servizi alla persona si accompagna poi ad una crescente insoddisfazione dei cittadini per la quantità e la qualità dei servizi offerti dal sistema di welfare pubblico. Infatti, pur in presenza di una spesa pubblica molto elevata, talune inefficienze delle unità pubbliche fornitrici di servizi generano talvolta l'incapacità dell'offerta di soddisfare la domanda e producono perciò meccanismi di razionamento particolarmente odiosi per i cittadini, come le code e le liste di attesa.

Anche la qualità delle prestazioni pubbliche è talora fonte di insoddisfazione. I cittadini lamentano infatti una insufficiente capacità del sistema di adattarsi ad una domanda che esprime sempre maggiori richieste di varietà e rifiuta i trattamenti standardizzati. Questa domanda di varietà dipende dai mutamenti verificatisi sul mercato del lavoro e dalla maggiore differenziazione sociale che essi comportano. In passato, infatti, la grande massa dei lavoratori industriali tendeva ad accedere al mercato del lavoro in età relativamente bassa e con un livello di scolarizzazione modesto; inoltre, quasi tutti mantenevano lo stesso posto di lavoro per periodi di tempo prolungati. Oggi queste caratteristiche sono molto meno frequenti: il tasso di scolarità è cresciuto e l'ingresso nel mercato del lavoro avviene in età più avanzata, sia perché i giovani prolungano il periodo di studio, sia a causa delle grandi difficoltà nel trovare un primo impiego. Inoltre, i cambiamenti di posizione lavorativa sono assai più frequenti rispetto al passato, così come i periodi di inattività e quelli dedicati alla riqualificazione o alla formazione postscolastica; molto più frequenti sono anche i lavoratori in posizione precaria, con lavoro a tempo parziale, interinale o – come si suol dire – atipico.

Il sistema italiano di sicurezza sociale, disegnato e costruito con l'obiettivo di tutelare i lavoratori «medi», fatica ora a confrontarsi con i casi sempre più frequenti dei giovani che non riescono ad accedere al mercato del lavoro, dei lavoratori che – a metà della propria carriera – perdono il posto, di quelli che avrebbero bisogno di riqualificazione professionale, degli «atipici» che non hanno alcuna tutela previdenziale. Nasce dunque l'esigenza di nuovi servizi – come la formazione, l'informazione, i servizi per l'impiego, il sostegno alla mobilità e tutti gli strumenti delle cosiddette «politiche attive dell'occupazione» – che l'ente pubblico spesso non è attrezzato ad erogare.

Questo variegato insieme di fenomeni ha contribuito a mettere sotto tensione i sistemi di welfare di molti paesi occidentali, dando spazio alle richieste di riforma. Il problema della riforma non è solo quello di disegnare sistemi di protezione sociale meno costosi e perciò più accettabili dai contribuenti; se così fosse, il nodo sarebbe relativamente facile da sciogliere. La vera sfida consiste nell'escogitare modelli di fornitura dei servizi sociali, sanitari ed educativi che rispondano a esigenze diverse, talvolta in contrasto tra loro; che mostrino un grado elevato di solidarietà nei confronti di soggetti che versano in stato di bisogno e, congiuntamente, siano dotati di sistemi di incentivi idonei a stimolare l'autonomia degli assistiti; che stimolino la presenza di una pluralità di fornitori, così da consentire l'instaurarsi di meccanismi competitivi e garantire ragionevoli margini di scelta ai cittadini e, nel contempo, assicurino la bontà dei servizi forniti in mercati in cui i consumatori faticano a valutare la qualità; che siano in grado di fornire servizi di elevata qualità e, contemporaneamente, abbiano un costo ragionevole, che non penalizzi troppo coloro che sono chiamati a versare contributi per finanziare il sistema. Quadrare il cerchio di queste esigenze è tutt'altro che semplice.

Per provare a rispondere a queste difficoltà, in molte circostanze si è fatto ricorso alle organizzazioni senza scopo di lucro.

Perché tante organizzazioni nonprofit nella produzione di servizi alla persona?

La massiccia presenza di organizzazioni senza scopo di lucro nella produzione di servizi alla persona (sociali, sanitari ed educativi) trova spiegazione sia nei tentativi di riforma del sistema di welfare, che nei vantaggi intrinseci di queste organizzazioni. Per comprendere questi vantaggi, non mancano, e certamente sono assai rilevanti, le spiegazioni che fanno riferimento a categorie di tipo psicologico o sociale; in questa sede, tuttavia, si terranno presenti soprattutto le osservazioni avanzate dagli economisti per spiegare la presenza delle organizzazioni nonprofit.

La principale giustificazione della presenza di organizzazioni senza scopo di lucro nella produzione di servizi alla persona fa riferimento all'americano Henry Hansmann e alla categoria analitica della *asimmetria informativa*. Con questo termine si intende l'esistenza di una differenza nella informazione disponibile tra venditore ed acquirente in ordine alle caratteristiche o alla qualità dei servizi scambiati; nell'area dei servizi alla persona, ad esempio, i venditori sono nella condizione di conoscere meglio dei clienti le qualità specifiche (positive e negative) dei servizi erogati.

Questo principio generale è facilmente condivisibile se si pensa che molti servizi alla persona hanno la natura degli *experience goods*, cioè di beni la cui qualità può essere valutata solo dopo averli sperimentati, e che, talvolta, i risultati dell'esperienza possono essere percepiti solo dopo un lungo periodo di tempo. Si pensi, ad esempio, ai servizi di istruzione scolastica dei bambini. Mentre alcune caratteristiche generali del servizio sono facilmente controllabili dall'acquirente – come la durata delle lezioni o la dimensione delle aule entro cui si svolge l'insegnamento – per altre – come la bontà del metodo utilizzato, il valore delle informazioni fornite, l'aggiornamento dei curricola formativi, ecc. – non esistono facili strumenti di controllo; in questo caso, forse, solo la soddisfazione umana e professionale del bambino divenuto adulto potranno testimoniare della bontà dell'istruzione ricevuta (e di tante altre cose).

Esistono molte circostanze simili a quelle descritte, in cui le caratteristiche del servizio fornito non sono facilmente controllabili dall'acquirente, mentre sono ben note al venditore. Questo fenomeno può dipendere sia dalle caratteristiche intrinseche del servizio scambiato (come nel caso dell'istruzione ma anche, per esempio, dei servizi di un medico o di quelli di una comunità di recupero per tossicodipendenti), sia dalle circostanze in cui il servizio viene erogato, ad esempio perché il destinatario dello stesso è un soggetto diverso rispetto a quello che paga la prestazione. Si pensi all'assistenza in istituto a persone anziane non-autosufficienti oppure alla «custodia» dell'infanzia in asili nido; in queste situazioni, coloro che pagano per i servizi sono generalmente soggetti differenti dai reali fruitori dei servizi stessi e pertanto non si trovano nella condizione ottimale per valutarne la qualità.

In tutte queste situazioni in cui si verificano condizioni di asimmetria informativa, un venditore che assuma la forma giuridica dell'impresa a fine di lucro potrebbe trovare conveniente sfruttare il vantaggio di informazione per aumentare i propri profitti; certo dell'impossibilità del cliente di valutare appieno la qualità di ciò che acquista, il venditore sarebbe indotto a ridurre la qualità – o la stessa quantità – dei servizi per contenerne i costi ed aumentare i profitti.

Solo un fornitore che non abbia fine di lucro (un ente pubblico o una organizzazione nonprofit) potrebbe non essere indotto a peggiorare la qualità di ciò che vende. Infatti, l'impossibilità di distribuire gli eventuali profitti aggiuntivi non crea alcun incentivo a trarre vantaggio dalla asimmetria informativa. Questo spiegherebbe la forte presenza di imprese pubbliche e di organizzazioni senza scopo di lucro nei settori caratterizzati da alti differenziali di informazione tra venditori ed acquirenti; solo organizzazioni senza scopo di lucro sarebbero infatti in grado di suscitare il necessario grado di fiducia nei potenziali clienti.

Se la fiducia dei clienti può essere riposta sia nelle imprese pubbliche che nelle nonprofit – che spesso infatti operano fianco a fianco nei medesimi settori – quali differenze esistono tra i due tipi di organizzazioni? Secondo la spiegazione fornita dall'economista Burton Weisbrod, le organizzazioni pubbliche sarebbero particolarmente propense a fornire beni e servizi che – per quantità e qualità erogata – incontrano in particolare il favore dei cosiddetti «elettori mediani», coloro che «stanno in mezzo» tra i diversi membri di una popolazione. Per queste ragioni, potrebbero esistere elettori insoddisfatti della fornitura pubblica di servizi caratterizzati da asimmetria informativa;

questi ultimi non avrebbero altra possibilità che rivolgersi a una organizzazione nonprofit o costituirne una. Questa nonprofit assumerebbe dunque le caratteristiche del fornitore di servizi per cittadini insoddisfatti della insufficiente produzione pubblica.

Insieme alle caratteristiche che le rendono più efficienti rispetto alle imprese a fine di lucro, ve ne sono altre che riducono l'efficienza delle organizzazioni nonprofit.

In primo luogo, si sottolinea spesso come i manager delle organizzazioni nonprofit abbiano scarsi incentivi a minimizzare i costi poiché non sono soggetti al controllo di azionisti esigenti; proprio per questa ragione, le nonprofit potrebbero essere meno efficienti rispetto alle imprese a fine di lucro. Bisogna tuttavia osservare come, nel caso dei servizi alla persona, l'area tipica di azione di queste organizzazioni, la scarsa rilevanza delle economie di scala tenderebbe ad aumentare il numero dei produttori e dunque la competizione, imponendo così anche alle nonprofit una rigida disciplina dei costi. Mancano però finora dati empirici completi e convincenti in grado di mostrare il livello di efficienza tecnica delle organizzazioni nonprofit e di compararlo con quello delle imprese a fine di lucro.

In secondo luogo, molti hanno sottolineato come il vincolo di non distribuzione dei profitti renda le organizzazioni nonprofit piuttosto lente sia ad accrescere che a contrarre la propria offerta di servizi in conseguenza di cambiamenti nei livelli della domanda. Il vincolo di non distribuzione dei profitti, impedendo la remunerazione del capitale di rischio, ne rende piuttosto difficile la raccolta da parte delle organizzazioni nonprofit e per questa ragione ne condiziona la crescita. Inoltre, le nonprofit tendono a mantenere la propria offerta di servizi anche quando – a causa di riduzioni nel livello della domanda – i tassi di rendimento del capitale investito scendono a livelli estremamente modesti o addirittura negativi; a questo risultato si giunge perché le nonprofit non hanno alcun obiettivo di rendimento del capitale. A ciò si aggiunga che, ovviamente, i manager di queste organizzazioni hanno incentivi molto modesti a ridurre il livello delle proprie attività.

Settore nonprofit e produzione di servizi culturali, artistici e di ricerca

Secondo l'Unesco, l'Italia è il paese che possiede oltre la metà del patrimonio artistico mondiale. Alcuni lo hanno definito il nostro petrolio, volendo sottolineare che, se opportunamente valorizzato, esso potrebbe rappresentare una fonte di ricchezza diffusa davvero preziosa. Eppure, assieme a questo straordinario e insuperabile primato, fino a non molti anni fa ne abbiamo detenuto anche un altro, decisamente meno invidiabile: quello dell'incuria e della negligenza con cui ci siamo presi cura dei nostri beni culturali ed ambientali. Da qualche tempo, per fortuna, sembra essersi invertita la rotta. Sulla scorta di quanto avviene già da tempo all'estero – in fatto per esempio di orari di apertura dei musei, di defiscalizzazione delle erogazioni liberali a favore di progetti culturali, di aziende che investono nel settore artistico e culturale, ecc. – anche in Italia si comincia a comprendere che la cultura può davvero rappresentare una risorsa economica da utilizzare sapientemente; e che il patrimonio artistico può generare, non solo ritorno d'immagine per il paese, ma anche reddito per chi se ne prende cura, e qualità della vita per chi ne fruisce.

Naturalmente, i beni culturali non sono beni qualsiasi. Sono beni unici. E come tali richiedono una gestione molto oculata. Ha scritto il presidente del Fondo per l'ambiente italiano (Fai), Giulia Maria Mozzoni Crespi:

La gestione del bene culturale non rende come una fabbrica di bulloni o di filati, è un lavoro a parte, presuppone una forte spinta ideale e un sostanziale disinteresse [...] Bisogna dunque tenere presente che i beni culturali e quelli paesaggistici, anche se ben gestiti, non possono di per sé rendere ma possono però rendere come indotto della zona e del turismo in generale.

Queste affermazioni risultano ancor più significative se lette alla luce dell'itinerario legislativo che il nostro paese ha compiuto in questo campo nei pochi anni che vanno dalla Legge Ronchey (l. 4/1993), che ha introdotto i primi elementi di innovazione nella gestione museale, sino ai provvedimenti della finanziaria 2001 che ha dato la possibilità di attribuire la gestione di alcune aree culturali a soggetti privati.

In questo arco temporale relativamente ridotto si è dunque aperta la possibilità, per le organizzazioni del settore nonprofit, di fare dei beni ambientali e culturali la propria area principale di attività, anche in collaborazione con l'amministrazione pubblica che di molti beni artistici, culturali ed ambientali è proprietaria. Prendiamo, per esempio, una cooperativa sociale che operi per garantire un lavoro a soggetti svantaggiati e decida di operare in questo settore. Essa potrebbe gestire egregiamente un museo, o una serie di monumenti, operando in un settore ritenuto talvolta fonte di margini di profitto insufficienti dagli operatori a fine di lucro, ma in grado di fornire buone occasioni di creazione di occupazione, un risultato sicuramente più interessante per la nostra cooperativa sociale.

Anche altre considerazioni inducono a ritenere che, fatta eccezione per pochi casi di beni di altissimo valore ed attrazione, le nonprofit possano essere soggetti più adatti delle imprese a fine di lucro nella gestione del patrimonio culturale. Non è infatti insensato ritenere che, nonostante si diano possibilità di gestione più attiva e dinamica dei beni culturali rispetto a quelle finora condotte dall'amministrazione pubblica (ad esempio fornendo una serie di servizi collaterali rispetto alla pura e semplice gestione del bene, come i servizi di guida turistica, i supporti multimediali, o quant'altro), la fruizione del patrimonio artistico e culturale sia comunque un'attività non remunerativa, con una domanda pagante insufficiente a coprire i costi. In questo caso, quando non si possa fare conto sui trasferimenti dell'amministrazione pubblica, è necessario ricorrere alla benevolenza privata per pareggiare i costi. Sono proprio le organizzazioni nonprofit, grazie al vincolo sulla distribuzione dei profitti, i soggetti che più facilmente possono raccogliere donazioni.

Oltre alla presenza spontanea di organizzazioni nonprofit che hanno scelto di fare del settore dei beni culturali il proprio campo di attività, l'organizzazione senza fine di lucro (specie la fondazione) è stata riscoperta ed utilizzata anche dall'amministrazione pubblica come strumento per la gestione di alcune attività artistiche e culturali. Molte istituzioni pubbliche sono state così trasformate in «fondazioni» (come nel caso degli enti lirici, ad esempio l'Arena di Verona o la Scala di Milano) o in «fondazioni di partecipazione» (come nel caso delle Civiche scuole di musica del comune di Milano) nella speranza di godere di forme più snelle di gestione e di attrarre capitali privati. L'assenza di un vero e proprio patrimonio in grado di generare redditi, l'adozione di modelli gestionali non molto dissimili da quelli del passato e la scarsa attrazione per i donatori privati hanno però fatto sì che questi enti dipendano ancora in maniera pressoché totale dai finanziamenti pubblici, problema ulteriormente accentuato dall'adozione di modelli di governo e di gestione non tanto trasparenti quanto sarebbe auspicabile.

Certo il settore dei beni artistici, ambientali e culturali è molto ampio e quindi diventa fondamentale avere ben definiti gli obiettivi e i ruoli che le organizzazioni nonprofit possono svolgere nei diversi comparti. Il problema del ruolo è particolarmente evidente nel settore museale, dove non sono ancora sufficientemente chiari le funzioni sociali e culturali che i musei dovrebbero avere e il rapporto tra queste e le soluzioni operative. Per questo risultano, a nostro avviso, pienamente condivisibili le conclusioni cui giunge il quinto rapporto annuale *Museo contro museo* dell'Associazione Civita, riassunte nei seguenti cinque punti:

1. il museo continua a caratterizzarsi come un'impresa nonprofit che, nella generalità dei casi, e soprattutto per i musei «superstar», non riesce a perseguire il pareggio di bilancio;

2. l'eventuale ulteriore riduzione del finanziamento pubblico non può essere compensata dal mercato (biglietti e servizi) ma, piuttosto ed insieme, da un maggiore coinvolgimento della collettività nella sua gestione (donazioni e contributi);

3. una maggiore partecipazione diretta della collettività richiede una ridefinizione del ruolo del museo e l'individuazione di nuovi strumenti di partecipazione;

4. un museo più attivo in rapporto con l'esterno deve essere un museo più «autonomo», con il management in grado di scegliere le strategie più efficaci per conservare il patrimonio e raggiungere gli obiettivi più generali che dovranno essere stabiliti ad un livello superiore o da un'autorità altra;

5. un museo più «autonomo» richiede, infine, che i poteri di controllo e di indirizzo siano forti.

Settore nonprofit, «infrastruttura» della società civile

Oltre ai servizi descritti sino a questo punto, un'altra caratteristica del settore nonprofit merita di essere sottolineata poiché non emerge pienamente dai dati quantitativi. Oltre a produrre beni e ad erogare servizi, il settore nonprofit rappresenta un potente strumento di coesione sociale, un produttore di *capitale sociale* ed una infrastruttura insostituibile del pluralismo istituzionale del nostro paese.

Questa funzione del settore nonprofit è l'esito delle differenti azioni svolte. In primo luogo, le organizzazioni nonprofit producono beni e servizi che, nonostante il limitato valore economico, presentano un elevato valore sociale. Si provi a pensare all'azione svolta dalle organizzazioni che si occupano di tutela dei diritti civili, di sostegno delle minoranze etniche, di integrazione sociale dei giovani, di divulgazione della cultura o di promozione dell'arte. Molte di queste attività, pur non avendo un impatto economico rilevabile attraverso i normali meccanismi di mercato, generano indubbie esternalità positive e rappresentano un contributo prezioso alla creazione di un ambiente sociale armonico e coeso, di quel capitale sociale tanto rilevante anche per garantire soddisfacenti performance economiche.

Oltre a ciò, le organizzazioni nonprofit creano coesione sociale perché costituiscono un'occasione di incontro, di socializzazione e di interazione significativa per gruppi molto numerosi di persone che, oltre a produrre beni e servizi, trovano occasioni di confronto, di cooperazione e di ascolto. La possibilità di avere luoghi di incontro, di sperimentare relazioni sociali motivanti e impegnative, di potere fare qualcosa per cambiare situazioni di disagio personale e collettivo – di produrre cioè quelli che Donati, per primo negli anni Ottanta, ha chiamato «beni relazionali» – rappresenta dunque senza alcun dubbio uno dei prodotti più significativi delle organizzazioni nonprofit, e di quelle di volontariato in particolare. La produzione di capitale sociale e di coesione non si ferma però alla creazione di occasioni di incontro per giovani in cerca del senso della propria esistenza o per anziani che devono riempire il tempo. Infatti, si può ritenere che, anche al di fuori della dinamica più strettamente legata al volontariato, il settore nonprofit (ed in particolare le imprese nonprofit) produca coesione sociale grazie a modalità di gestione che si distaccano da quelle tradizionali dell'impresa capitalistica o dell'amministrazione pubblica. Lo stile gestionale improntato alla partecipazione collettiva adottato da molte di queste organizzazioni (ma certamente non da tutte) costituisce infatti un potente strumento di socializzazione e di interazione tra individui.

Oltre che per i beni, materiali o «immateriali», che produce, l'esistenza di un terzo settore ampio, vitale e pluralistico va dunque considerata un «bene in sé». Infatti, proprio attraverso queste organizzazioni – diverse tra loro, con le più disparate finalità e con i più variegati metodi di gestione – si esercita quel pluralismo delle istituzioni e delle opinioni che costituisce un ottimo ricostituente per la nostra democrazia.

5. Le fonti di finanziamento del settore nonprofit

Come si finanzia il settore nonprofit

Così come è falsa – o comunque insufficiente a descrivere le caratteristiche di molte nonprofit – l'idea della organizzazione basata esclusivamente sulla forza lavoro dei volontari, allo stesso modo non regge lo stereotipo dell'entità che basa le proprie fonti di sostentamento principalmente sulle donazioni. Al contrario, sia in Italia che all'estero, le donazioni rappresentano una quota minoritaria delle entrate complessive delle organizzazioni di terzo settore; queste ultime basano la propria capacità di sopravvivere e svolgere le attività per cui sono state costituite soprattutto sull'abilità nel raccogliere risorse derivanti dalla vendita di beni e servizi, sia a soggetti privati che alla pubblica amministrazione.

Nell'aggregato, le entrate complessive delle organizzazioni nonprofit italiane ammontano a circa 37 miliardi di euro, mentre le uscite raggiungono circa i 35 miliardi; si evidenzia così una tendenza a chiudere i bilanci in sostanziale pareggio o, al più, in lieve attivo, sintomo, come vedremo meglio più avanti, di alcune delle difficoltà economiche in cui il settore si dibatte.

Sempre nell'aggregato, le entrate di fonte privata superano di gran lunga quelle derivanti dalla pubblica amministrazione (64% le prime, 36% le seconde) ma, come vedremo, le cose cambiano molto a seconda dei settori di attività analizzati.

Infatti, anche solo eliminando dall'analisi le organizzazioni religiose (per le sole attività di culto, non per quelle assistenziali), quelle sindacali e di categoria, nonché le entità impegnate in «altre attività», la quota delle entrate pubbliche risale al 43%; per quella parte del nonprofit operante nei settori più tradizionali dell'educazione, dell'assistenza, della sanità e della cultura le entrate pubbliche rappresentano dunque una fonte di reddito di assoluto rilievo.

Il ruolo delle entrate private

Più che sulla composizione (pubblica o privata) delle entrate del settore, conviene però soffermarsi su di un dato che le cifre recentemente pubblicate dall'Istat confermano e che già era stato evidenziato dalle analisi precedenti: la natura fortemente «mercantile» che il terzo settore ha assunto nel tempo. Infatti, le entrate che derivano alle nonprofit dalla vendita di beni e servizi a soggetti privati e quelle provenienti da contratti e convenzioni stipulati con enti pubblici – cioè, in sintesi, le entrate che scaturiscono dalla capacità di vendere i propri servizi su di un mercato, pubblico o privato che sia – rappresentano circa il 54% delle fonti di reddito del settore. Al contrario, le entrate scaturite dalla raccolta di donazioni private superano di poco il 3% delle entrate totali, una quota veramente modesta e tale da non costituire una fonte di reddito essenziale per le nonprofit italiane. Se alle donazioni private si sommano i contributi a fondo perduto erogati dalle amministrazioni pubbliche, il totale dei «fondi donati» sale al 12% delle entrate totali, una quota comunque molto bassa.

Quindi, più che alle donazioni o ai sussidi derivanti dalle amministrazioni pubbliche, le organizzazioni nonprofit devono la propria esistenza alla capacità di produrre beni e servizi domandati dai consumatori e dotati di qualità tale da soddisfare le loro esigenze. Questa capacità testimonia del grado elevato di evoluzione del settore che, come sarà ormai chiaro, non si occupa esclusivamente di fornire assistenza ai diseredati, ma è in grado di soddisfare la domanda di servizi di una parte ampia della popolazione la quale, per acquistare questi servizi, mostra una convinta disponibilità a pagare.

Va inoltre osservato che la natura mercantile e la modesta rilevanza delle donazioni tra le fonti di reddito delle nonprofit non riguarda solo il caso italiano. Anche in paesi con una tradizione di sostegno al settore nonprofit più antica della nostra e con una legislazione tributaria più favorevole, le donazioni rappresentano infatti una quota modesta delle entrate totali delle nonprofit. Nei paesi sviluppati, questa fonte di reddito supera il 10% delle entrate totali del settore nonprofit solo in pochi casi e, anche in questi, non rappresenta mai la prima fonte di entrata delle organizzazioni. Le donazioni raggiungono il 19% delle entrate delle organizzazioni di terzo settore in Spagna, il 13% negli Stati Uniti e poco più del 10% in Israele; nel resto dei paesi dell'Europa occidentale le donazioni non raggiungono mai l'8% delle entrate. Nonostante la modestia di questi valori va rilevato che le donazioni presentano comunque un peso almeno doppio rispetto a quello italiano in tutti i principali paesi europei. Sulle ragioni della modesta rilevanza delle donazioni in Italia ci soffermeremo nei prossimi paragrafi.

L'analisi più dettagliata delle fonti di entrata delle organizzazioni nonprofit italiane consente di mettere in evidenza come, lungi dall'essere un aggregato omogeneo, il settore sia caratterizzato da numerose «dicotomie» che è utile descrivere per capire la sua varietà interna.

Una prima dicotomia riguarda la dimensione economica delle attività svolte. Oltre il 70% delle circa 205.000 organizzazioni censite dall'Istat nel censimento già citato evidenzia entrate complessive annue inferiori ai 50.000 euro. Dall'altra parte, il 9% delle organizzazioni – corrispondente ai circa 20.000 enti di dimensioni maggiori – ha entrate medie superiori a 1.600.000 euro; nell'insieme, queste ultime realizzano circa l'88% delle entrate complessive del settore. Le organizzazioni con minori entrate sono gestite da una forza lavoro composta al 90% da volontari, mentre le organizzazioni più grandi si basano su lavoratori retribuiti per oltre l'80% della propria forza lavoro. Il settore appare dunque spaccato tra un numero molto elevato di organizzazioni piccole o piccolissime, gestite prevalentemente da volontari, e un numero piuttosto ridotto di enti di grandi dimensioni – vere e proprie imprese – gestite e condotte soprattutto da personale retribuito.

Una seconda dicotomia riguarda le fonti di finanziamento. Mentre nell'insieme le entrate di fonte privata prevalgono su quelle pubbliche, per taluni settori la situazione appare ribaltata (tabella 2). Questo caso si presenta, ad esempio, nel settore sanitario (dove le entrate derivanti dalla pubblica amministrazione rappresentano oltre il 70% del totale) o nel comparto dell'istruzione professionale e degli adulti (con le entrate pubbliche che rappresentano il 68% del totale) o ancora in quello dell'inserimento lavorativo di soggetti svantaggiati (dove le entrate pubbliche rappresentano circa il 60% del totale). Assistiamo dunque ad una sorta di divisione tra le istituzioni che traggono la propria principale fonte di reddito dal mercato privato e quelle che invece dipendono fortemente dalla pubblica amministrazione.

Una terza linea di demarcazione che caratterizza il settore è quella esistente tra organizzazioni che possono essere caratterizzate come vere e proprie imprese e organismi che hanno un carattere prevalentemente redistributivo. Il processo produttivo delle prime è caratterizzato dalla presenza di un valore aggiunto (nella forma di retribuzioni di lavoratori dipendenti e di creazione di un utile da riutilizzare entro l'organizzazione) creato grazie alla capacità di vendere a clienti paganti i servizi prodotti; al contrario, le seconde non fanno altro che redistribuire

TAB. 2. *Composizione delle entrate delle organizzazioni nonprofit italiane (valori percentuali)*

	Entrate di fonte pubblica		Entrate di fonte privata			Totale entrate
	Sussidi e contributi a fondo perduto	Ricavi per contratti e convenzioni	Ricavi da vendita di beni e servizi	Donazioni	Altre entrate private	
Cultura, sport e ricreazione	17,80	6,73	26,89	2,37	46,21	100
Istruzione e ricerca	14,11	24,07	35,43	2,44	23,95	100
Sanità	1,28	69,24	16,93	2,23	10,32	100
Assistenza sociale	5,67	36,62	29,60	4,52	23,59	100
Ambiente	16,18	25,06	15,17	4,32	39,27	100
Sviluppo economico e coesione sociale	14,95	36,82	20,11	0,98	27,14	100
Tutela dei diritti e attività politica	20,00	6,83	13,45	4,89	54,83	100
Filantropia e promozione del volontariato	1,23	0,41	1,00	2,03	95,33	100
Cooperazione e solidarietà internazionale	14,10	20,41	7,73	35,23	22,53	100
Religione	6,88	5,52	12,14	24,38	51,08	100
Relazioni sindacali e rappresentanza di interessi	5,35	3,89	18,68	0,10	71,98	100
Altre attività	0,64	3,26	61,42	0,27	34,41	100
Totale settore nonprofit	8,54	27,52	26,37	3,28	34,29	100

Fonte: Istat, *Istituzioni nonprofit in Italia*, 2001.

ai soggetti beneficiari le donazioni che ricevono, siano queste nella forma di denaro, di beni in natura o di tempo di lavoro volontario. Un esempio tipico di impresa nonprofit è rappresentato dalle cosiddette cooperative sociali di tipo B che producono beni e servizi avviando al lavoro soggetti svantaggiati; queste organizzazioni agiscono come una qualunque impresa, vendendo sul mercato i beni prodotti e ricavando così i redditi necessari a retribuire i propri fattori produttivi. Un caso ugualmente peculiare di organizzazione nonprofit redistributiva è invece rappresentato da enti quali la Caritas o altre istituzioni di prima assistenza. Queste organizzazioni basano generalmente le proprie fonti di entrata su donazioni che provvedono poi a redistribuire ai soggetti assistiti, a volte nella forma di denaro, altre nella forma di servizi; poiché erogano i propri servizi soprattutto – se non esclusivamente – a soggetti che non sono in grado di pagare, la vita delle organizzazioni redistributive dipende dalla capacità di attrarre donazioni piuttosto che dal fatto di generare valore aggiunto grazie all'utilizzo di fattori produttivi.

La distinzione tra le due tipologie di organizzazioni non è così netta come potrebbe sembrare a tavolino. Infatti, molte imprese nonprofit continuano a svolgere qualche attività di natura redistributiva, così come molte organizzazioni essenzialmente redistributive iniziano un vero e proprio processo di trasformazione che le porta a divenire via via più simili ad imprese. Infatti, una caratteristica assai rilevante del settore nonprofit italiano è proprio data dalla sua capacità di trasformare progressivamente le forme della propria attività per rispondere alle diverse sfide che incontra nel corso del tempo.

Un esempio emblematico di questa trasformazione – che assume valore paradigmatico – è il processo che ha caratterizzato le organizzazioni attive nell'area della cura delle tossicodipendenze. Molte organizzazioni nonprofit che si occupano oggi di tossicodipendenza sono nate come organizzazioni di volontariato, spesso costituite da giovani che si riunivano attorno a personalità carismatiche (generalmente un prete) e, con molta buona volontà e tanta passione, cercavano di dare risposta ad un bisogno che non veniva affrontato dalle amministrazioni pubbliche. In questa fase, la motivazione e la gratuita disponibilità individuale costituivano spesso le uniche risorse per l'attività di queste associazioni, vere e proprie organizzazioni redistributive. Con il passare del tempo, il problema della tossicodipendenza ha assunto una rilevanza tale da imporlo all'attenzione dell'agenda pubblica; sono così arrivate le risorse che hanno consentito ai gruppi di giovani volontari (che nel frattempo erano cresciuti e cominciavano a pensare di trovarsi un lavoro, magari in linea con le proprie aspirazioni solidaristiche giovanili) di darsi una struttura più stabile, di acquisire una professionalità e di trasformare in mestiere quello che spesso era stato un impegno motivato da passione civile o religiosa. Le organizzazioni di volontariato si trasformano così in associazioni stabili, assumono parte dei volontari, che diventano lavoratori retribuiti ma non riducono la propria carica motivazionale, ed instaurano rapporti strutturati con le amministrazioni pubbliche da cui ricevono fondi per la prestazione di servizi. I volontari continuano comunque a svolgere un ruolo nelle associazioni e ad affiancare i dipendenti, a volte con responsabilità direttamente operative, altre con funzioni direzionali, strategiche o amministrative. Inizia, quindi, la trasformazione da organizzazione redistributiva in vera e propria impresa sociale, anche se il carattere di impresa è ancora secondario per organizzazioni che operano prevalentemente grazie a trasferimenti di fondi da parte dell'amministrazione pubblica.

Con il passare del tempo, la cura delle tossicodipendenze si è modificata sempre più, passando da un «intervento passivo», volto ad eliminare la dipendenza fisica e psicologica dalla sostanza, ad un «intervento attivo», che mira a favorire il pieno reinserimento sociale del tossicodipendente. Per questo, molte associazioni hanno iniziato a porsi il problema dell'inserimento lavorativo dei tossicodipendenti; per risolverlo hanno spesso gemmato cooperative di lavoro, oppure hanno dato vita ad organizzazioni di formazione professionale che favorissero l'apprendimento degli strumenti indispensabili alla collocazione entro il mercato del lavoro. Anche in questi casi, le esperienze più attente e migliori hanno badato a tenere legami quanto più solidi possibile con gruppi di volontari, sia per garantire il reclutamento di personale motivato che per garantirsi il sostegno sociale necessario a condurre al meglio le proprie attività.

Così, organizzazioni che erano nate come semplici gruppi di volontari si sono trasformate spesso in veri e propri gruppi di organizzazioni nonprofit che tengono assieme esperienze assai avanzate di impresa e più tradizionali – ma non meno rilevanti, sia sul piano dei risultati che della motivazione – organizzazioni redistributive. Non sono mancati neppure i casi in cui si è provveduto alla creazione di fondazioni, che svolgessero il ruolo di vere e proprie *holding* finanziarie del gruppo, come pure di vere e proprie società finanziarie specializzate.

Esiste dunque un elevato grado di continuità tra le diverse tipologie organizzative che caratterizzano il settore nonprofit; il cambiamento organizzativo mostra come gli enti nonprofit siano in grado di adottare di volta in volta la struttura che meglio si adatta ai compiti da svolgere, mentre la presenza contemporanea di diverse forme organizzative entro strutture di gruppo garantisce che ognuna di esse sia utilizzata al meglio per svolgere i compiti che le sono propri.

Il finanziamento pubblico

Come abbiamo avuto modo di descrivere all'inizio del capitolo, i fondi pubblici – pur non rappresentando la principale fonte di reddito per il settore nonprofit italiano – rivestono una importanza non marginale nel garantirne il sostegno ed il successo. Per alcuni comparti del settore poi, tali fondi rappresentano di gran lunga la principale fonte di entrate, come per il settore sanitario (70% delle entrate totali), i servizi di assistenza sociale (54%), la formazione professionale (67%) o l'avviamento professionale dei soggetti svantaggiati (63%).

Il finanziamento pubblico, pur beneficiando pressoché ogni organizzazione del terzo settore, mostra una particolare concentrazione in alcune aree specifiche che ne assorbono una parte assai rilevante. In soli cinque comparti del nonprofit italiano si concentra infatti il 67% della spesa pubblica verso il settore: il comparto ospedaliero assorbe circa il 27% dei fondi, i servizi di assistenza sociale il 22%, le attività culturali ed artistiche l'8%, l'istruzione professionale il 6% e i servizi di inserimento lavorativo per soggetti svantaggiati il 4%. I comparti che assorbono la maggior parte del finanziamento pubblico sono dunque, in buona misura, gli stessi che da questo finanziamento dipendono in maniera più massiccia.

Da questi dati non è difficile comprendere come esista un legame molto stretto tra enti pubblici ed alcuni comparti del terzo settore: alcune organizzazioni nonprofit giocano un ruolo essenziale nella implementazione di talune politiche pubbliche, come nel caso della formazione professionale o dell'inserimento lavorativo, affidati pressoché totalmente ad enti privati senza scopo di lucro; d'altra parte, queste stesse organizzazioni private non potrebbero esistere senza la massiccia quantità di denari ricevuti dall'amministrazione pubblica. Si può dunque affermare che la presenza stessa di una parte non irrilevante del terzo settore sia inscindibile dalla realizzazione di politiche pubbliche che mirano a fornire servizi ai cittadini in via indiretta, facendo uso delle organizzazioni create dalla società civile. Questa semplice considerazione evidenzia come la contrapposizione tra enti pubblici e settore nonprofit sia del tutto fasulla e come ogni pretesa di sostituire l'azione volontaria delle organizzazioni nonprofit all'intervento pubblico in alcune aree del welfare non sia ragionevole né sostenibile perché lo stesso terzo settore – in aree come la sanità e l'assistenza – è il prodotto di un'azione e di una politica pubblica.

Va peraltro sottolineato come i legami esistenti tra settore nonprofit e settore pubblico siano assai variegati, a testimonianza del profondo processo di trasformazione che ha caratterizzato le modalità di fornitura dei servizi di welfare da parte dell'amministrazione pubblica nel corso dell'ultimo decennio. Molteplici fattori hanno contribuito a determinare questo cambiamento: l'esigenza di contenere i costi della fornitura dei servizi da parte dell'amministrazione pubblica ed il tentativo di introdurre meccanismi di concorrenza per favorire il raggiungimento di questo risultato; l'insoddisfazione degli utenti per le modalità – spesso ritenute burocratiche ed impersonali – di erogazione dei servizi stessi; la necessità di servire fasce marginali della popolazione che necessitano di prestazioni differenti da quelle tradizionalmente fornite dall'amministrazione.

Tutte queste ragioni hanno spinto le amministrazioni pubbliche ad affidare ad organizzazioni del terzo settore l'erogazione di alcuni servizi, anche se le modalità di questo affidamento sono però cambiate nel corso del tempo e a seconda delle esigenze.

In passato le amministrazioni pubbliche si sono spesso limitate a riconoscere il ruolo positivo svolto da alcune organizzazioni del terzo settore, erogando loro contributi a fondo perduto senza alcuna contropartita diretta. Questa modalità di rapporto – tipica di un contesto in cui i servizi erano erogati prevalentemente da dipendenti pubblici ed in cui alle nonprofit erano offerti fondi indipendenti dalla quantità e dalla qualità delle prestazioni erogate – ha ora una incidenza piuttosto modesta, se si pensa che solo il 24% dei fondi pubblici viene trasferito alle organizzazioni nonprofit in questa forma. Infatti, la gran parte (circa il 76%) dei fondi pubblici arriva ora alle organizzazioni del terzo settore come contropartita per la prestazione di servizi; l'ammontare e le caratteristiche delle prestazioni reciproche sono generalmente governati da una convenzione, un accordo contrattuale che lega le due parti della transazione e ne stabilisce gli impegni reciproci.

Oltre al sussidio a fondo perduto e all'accordo regolato per via contrattuale (che nel linguaggio anglosassone prende il nome – assai diffuso – di *contracting-out*), i rapporti tra amministrazioni pubbliche e cittadini possono prendere anche una forma più indiretta attraverso il meccanismo dei *vouchers*; con questo sistema, la pubblica amministrazione, anziché fornire direttamente un servizio o finanziare il soggetto produttore dello stesso, preferisce sostenere il potere d'acquisto degli utenti, distribuendo loro dei «buoni» che – presentati ai fornitori dei servizi – danno diritto ad ottenere alcune prestazioni prestabilite. I fornitori, a loro volta, potranno presentare all'amministrazione pubblica i *vouchers* raccolti così da ottenere il pagamento del prezzo concordato per le prestazioni erogate. Un esempio di *vouchers* – tratto dalla vita quotidiana – è il *ticket restaurant* che molte aziende distribuiscono ai propri dipendenti in sostituzione del servizio di mensa.

Il principale vantaggio teorico di questo sistema di fornitura dei servizi consiste nell'attribuire libertà di scelta al consumatore che non è obbligato a servirsi da un fornitore predeterminato, ma può usare il potere d'acquisto ottenuto dall'amministrazione per scegliere il fornitore che preferisce. In tal modo, i diversi fornitori potenziali sono posti in concorrenza l'uno con l'altro, così da creare una struttura quanto più possibile simile ad un mercato di concorrenza perfetta, sfruttandone le potenzialità in termini di efficienza. È ovvio che un simile meccanismo ha qualche speranza di funzionare solo se i potenziali clienti sono in grado di distinguere la qualità delle diverse prestazioni ricevute, abbandonando il fornitore scadente per ottenere i servizi desiderati da colui che garantisce una maggiore qualità.

In caso contrario i potenziali benefici della concorrenza non vengono raggiunti. È proprio questa una delle ragioni che può indurre l'amministrazione pubblica a limitare la competizione tra fornitori alle sole organizzazioni senza scopo di lucro, meno propense come abbiamo visto, a sfruttare i vantaggi informativi di cui godono sui consumatori e sull'ente pubblico finanziatore.

Il «fund raising»

Uno dei problemi cronici degli enti nonprofit italiani rimane proprio quello dell'adeguatezza delle entrate al livello delle attività che si desidera svolgere e, soprattutto, al livello dei bisogni percepiti. Nonostante cresca la domanda pagante di servizi, molti bisogni non si traducono in domanda proprio perché i soggetti bisognosi (dai tossicomani ai malati, dai minori a rischio agli extracomunitari) non dispongono di reddito sufficiente a pagare i servizi di cui hanno bisogno. In molti casi, come abbiamo visto, le amministrazioni pubbliche si fanno carico del costo della erogazione di servizi a soggetti bisognosi. Accade spesso, tuttavia, che i proventi derivanti dalle amministrazioni pubbliche siano appena sufficienti a coprire i costi dell'erogazione di questi servizi e non permettano né di effettuare investimenti necessari a mantenere l'attività nel tempo, né di accantonare risorse per poter erogare i servizi a soggetti che non sono in grado di pagare personalmente e per i quali non esiste un «terzo pagatore».

È in queste circostanze che la capacità di raccogliere donazioni, cioè risorse che possono essere liberamente destinate al perseguimento delle finalità statutarie dell'organizzazione, si rivela particolarmente utile. Come già accennato in precedenza, le donazioni raccolte dalle organizzazioni nonprofit italiane rappresentano una parte assai modesta delle loro entrate complessive. La percentuale modesta non dipende da un valore particolarmente elevato delle entrate complessive, ma proprio dalla scarsità assoluta di donazioni: le donazioni effettuate alle nonprofit italiane raggiungevano nel 1999 la cifra complessiva di circa 1,2 miliardi di euro, a fronte degli 1,3 miliardi del ben più piccolo Belgio, dei 4,6 miliardi della Francia, dei 3,5 miliardi della Germania, dei 5,3 miliardi della Spagna e dei 7,5 miliardi del Regno Unito. Almeno dal punto di vista delle donazioni monetarie, il nostro paese non mostra dunque un livello di solidarietà particolarmente elevato.

Le cause di queste difficoltà nella raccolta di donazioni sono molteplici: una legislazione poco incentivante; una scarsa cultura della donazione da parte dei cittadini; la rilevante presenza della Chiesa cattolica che ha tradizionalmente attratto una parte elevata della benevolenza individuale; una ancora limitata, nel complesso, professionalità da parte degli enti nonprofit nell'esercizio della raccolta di donazioni; una modesta trasparenza sulla destinazione delle risorse. Anche se non è possibile soffermarsi sulla natura di tutte queste cause, è evidente che soprattutto gli incentivi fiscali (si veda a questo proposito la tabella 3), lo sviluppo di una cultura della solidarietà e di adeguate professionalità nella raccolta dei fondi sono elementi fondamentali per garantire la crescita di una fonte di entrate importante per l'indipendenza e l'autonomia delle organizzazioni nonprofit italiane.

Di qui la domanda sempre più elevata (e largamente inevasa) di *fund raiser*, ossia di esperti in raccolta fondi per enti non lucrativi, e il conseguente proliferare di corsi di formazione e, persino, di apposite scuole di *fund raising*.

Ma perché è così difficile realizzare con successo una campagna di raccolta fondi? Quali sono gli «ingredienti» giusti per condurre a buon fine l'operazione? Non c'è una risposta univoca. Bisogna valutare caso per caso. E, di volta in volta, stabilire qual è lo strumento più adatto allo scopo: *mailing list*, organizzazione di eventi, contatti telefonici, coinvolgimento dei media,

Tab. 3. *Regimi tributari delle liberalità all'estero*

AUSTRIA
Persone fisiche e persone giuridiche: deducibilità delle liberalità con finalità scientifiche nel limite del 10% del reddito imponibile del benefattore.

BELGIO
Persone fisiche: deducibilità delle liberalità a enti nonprofit nel limite del 10% del reddito imponibile del benefattore, e non oltre 27.830 euro.
Persone giuridiche: deducibilità delle liberalità a enti nonprofit nel limite del 5% del reddito imponibile del benefattore, e non oltre 49.578 euro.

FRANCIA
Persone fisiche: detraibilità del 50% delle liberalità a enti nonprofit, nel limite del 6% del reddito imponibile.
Persone giuridiche: deducibilità delle liberalità nei limiti dello 0,325% del fatturato, con possibilità di dedurre la parte eccedente nei successivi cinque esercizi.

GERMANIA
Persone fisiche e persone giuridiche: deducibilità delle liberalità a enti nonprofit nei limiti del 10% del reddito imponibile. Se le liberalità sono superiori a 25.000 euro c'è la possibilità di dedurre la parte eccedente nei successivi cinque anni per le persone fisiche e nei sei esercizi successivi per le persone giuridiche.

IRLANDA
Persone fisiche e persone giuridiche: deducibilità delle liberalità, garantite contrattualmente per un periodo minimo di 4 anni, nei confronti di particolari tipologie di enti nonprofit. Limiti quantitativi, massimi e minimi, nonché percentuali (5 o 10% del reddito imponibile) all'ammontare di tali liberalità, a seconda che i benefattori siano persone fisiche o persone giuridiche.

LUSSEMBURGO
Persone fisiche e persone giuridiche: deducibilità per le liberalità a enti nonprofit nei limiti del 10% del reddito imponibile, e non oltre 495.787 euro.

OLANDA
Persone fisiche e persone giuridiche: deducibilità delle liberalità a enti nonprofit limitate a percentuali dal 6% al 10% del reddito imponibile del benefattore, in relazione alla natura dell'ente. Tuttavia in alcune particolari circostanze non si applica alcun limite alla deducibilità.

PORTOGALLO
Persone fisiche: deducibilità delle liberalità a enti nonprofit, limitate generalmente a percentuali dal 15% al 25% del reddito imponibile del benefattore.
Persone giuridiche: deducibilità delle liberalità a enti nonprofit, limitate a percentuali dallo 0,6% allo 0,8% del fatturato.

Tab. 3. (*segue*)

Regno Unito
Persone fisiche e persone giuridiche: deducibilità, da parte dei benefattori, delle liberalità a enti nonprofit residenti, qualificati come *charities*.

Stati Uniti
Persone fisiche e persone giuridiche: deducibilità delle liberalità a enti nonprofit con limiti percentuali correlati al reddito imponibile del benefattore. Tuttavia, in alcuni casi, non ci sono limitazioni alla deducibilità delle liberalità.

Fonte: Certi - Centro di ricerche tributarie d'impresa - Università Bocconi.

partnership con il mondo delle imprese, e così via. Il *fund raising*, sostengono alcuni esperti del settore ricorrendo a una felice metafora, «è come la neve sulla cima di un'alta montagna. Spesso, da lontano, è la prima e sola parte che la gente nota; ma sotto la neve c'è la montagna, cioè una struttura e un'organizzazione che sta portando avanti un duro lavoro al servizio di coloro che hanno bisogno».

Dopo anni di relativa indifferenza generale al problema (o, comunque, di sottovalutazione della sua portata), gli enti nonprofit hanno cominciato a diventare consapevoli del fatto che, non di rado, da una buona raccolta fondi dipende non solo il destino di una campagna ma anche quello della stessa organizzazione. E che, affinché si possa realizzare una buona raccolta fondi, risulta necessario dissipare ogni dubbio circa il trasparente uso dei soldi raccolti. D'altro canto, i *fund raiser* avvertono che, in un ambito d'attività così complesso e delicato, la buona reputazione è tutto. Per questo, di recente, alcune importanti realtà senza fine di lucro (Sodalitas, Telethon, Summit della solidarietà e Forum permanente del terzo settore) hanno elaborato la *Carta della donazione* (pubblicata in appendice), uno strumento che si propone di incentivare la diffusione delle informazioni necessarie per conoscere e valutare tutte le attività poste in essere dalle organizzazioni nonprofit che aderiscono a questo codice di autoregolamentazione, a vantaggio dei cittadini donatori, effettivi e potenziali, dei volontari, dei destinatari delle attività sociali delle nonprofit, degli associati ed aderenti. A tal fine, le organizzazioni nonprofit che perseguono finalità di solidarietà e promozione sociale, nell'aderire alla *Carta*, si impegnano a garantire ai donatori e ai destinatari delle loro attività sociali tutta una serie di diritti.

Altrettanto significativa è la nascita dell'Assif, l'Associazione italiana *fund raiser*, i cui soci, al momento dell'adesione, si impegnano a tener fede alle norme di pratica professionale dell'associazione e a sottoscrivere un apposito codice etico.

Nuovi soggetti finanziatori: le fondazioni di erogazione

Oltre alle donazioni provenienti da soggetti privati, una ulteriore fonte di entrata inizia a rivestire importanza per il settore nonprofit italiano; si tratta delle donazioni provenienti dalle «fondazioni di erogazione» (*grant-making foundation*, secondo la terminologia americana), cioè da enti che amministrano il proprio patrimonio (in genere di dimensioni particolarmente rilevanti) e ne utilizzano i rendimenti per finanziare organizzazioni senza scopo di lucro; queste, grazie alla loro attività, consentono alle fondazioni di perseguire le proprie finalità statutarie.

Fino a non molti anni or sono, queste fondazioni erano praticamente sconosciute nel nostro paese; infatti, la gran parte delle fondazioni italiane agisce in modo molto simile alle altre organizzazioni del terzo settore, svolgendo compiti direttamente operativi – come gestire una casa di riposo, un museo o un istituto di ricerca – e comportandosi dunque come «fondazione operativa». Ne sono esempi la Fondazione Giovanni Agnelli, un istituto di ricerca, la Fondazione Poldi Pezzoli, un museo, e la Fondazione San Raffaele che gestisce l'omonimo ospedale.

Fino a pochi anni or sono, soprattutto, le poche fondazioni di erogazione italiane amministravano patrimoni relativamente modesti – se paragonati a quelli dei colossi americani, inglesi o tedeschi – ed erano dunque in grado di distribuire annualmente solo un ammontare modesto di risorse. Solo la trasformazione delle casse di risparmio e delle altre banche pubbliche iniziata con la Legge Amato del 1991 – descritta nel terzo capitolo – ha posto le premesse per la creazione di istituzioni simili a quelle che costituiscono una delle caratteristiche peculiari del settore nonprofit statunitense. Infatti, molte delle istituzioni create nel 2000 con l'approvazione dei nuovi statuti delle fondazioni di origine bancaria sono dotate di patrimoni e di strutture di governo adatte a svolgere il ruolo del *grant-maker*. Certo, a molte di queste istituzioni mancano ancora la cultura e la tradizione per svolgere con competenza questo ruolo, che è stato talvolta interpretato come una pura e semplice azione di marketing (quasi che le fondazioni fossero interessate esclusivamente a promuovere la propria immagine), come sostegno dell'azione pubblica (quasi che le fondazioni fossero la «cassaforte» di qualche amministrazione) o come indistinta azione di sostegno istituzionale a qualche organizzazione del terzo settore (quasi che le fondazioni non abbiano una missione propria da perseguire).

Grazie alla trasformazione delle banche pubbliche e nonostante le difficoltà sperimentate dalle fondazioni di origine bancaria nel corso della loro trasformazione, il settore nonprofit italiano si è arricchito di istituzioni importanti per la loro capacità di sostenere l'azione delle organizzazioni direttamente operative, spesso in difficoltà nel recuperare le risorse necessarie a finanziare le azioni innovative di cui sono portatrici. Una quota consistente, seppure non precisamente identificabile, dei 936 milioni di euro erogati nel 2000 dalle fondazioni di origine bancaria si è infatti indirizzata verso le organizzazioni nonprofit, nelle loro diverse aree di attività. Delle erogazioni totali, il 35%

è stato destinato ad enti operanti nel settore dell'arte, il 27% al settore dell'assistenza, il 13% all'istruzione ed il 9% alla sanità.

Si tratta, come è facile intuire, di un sostegno importante, soprattutto nella misura in cui l'azione delle fondazioni di origine bancaria sarà in grado di caratterizzarsi per una logica differente rispetto a quella della pubblica amministrazione nel rapporto con il resto del terzo settore. Infatti, il sostegno garantito dall'amministrazione pubblica è destinato soprattutto a sostenere l'azione ordinaria e quotidiana delle organizzazioni di terzo settore; risorse molto scarse – quando non nulle – sono invece destinate alla ideazione, sperimentazione e verifica di azioni innovative in grado di dare nuove, più efficaci ed efficienti risposte a bisogni tradizionali delle popolazioni, oppure di affrontare quei problemi che l'amministrazione pubblica trascura.

Proprio questo potrebbe essere il ruolo delle fondazioni di origine bancaria. Infatti, poiché le loro pur ingenti risorse non sono in grado di sostituire gli impegni finanziari delle amministrazioni pubbliche, alle fondazioni non resta altro da fare che svolgere compiti che le amministrazioni ed i privati non sono disposti a svolgere. La fornitura di finanziamenti non deve dunque rappresentare un compito passivo per le fondazioni; al contrario, questo è il modo in cui organizzazioni senza l'ambizione di fare in prima persona, ma con il gusto di «far fare ad altri», possono esercitare la funzione di chi fa crescere il settore nonprofit attraverso il vaglio e lo scrutinio di progetti alternativi ed il suggerimento delle strade più opportune e professionali. Le fondazioni possono svolgere la funzione di *merchant banker* del settore nonprofit, del soggetto che finanzia (non certo a piè di lista e per tempo indeterminato) le iniziative più meritevoli e feconde e persegue logiche di azione che il mercato e lo Stato non vogliono o non possono perseguire, come ad esempio finanziare la produzione di taluni beni pubblici o collettivi, sostenere iniziative a bassa redditività (o a redditività differita nel tempo) ma ad elevata utilità sociale, oppure sostenere gli investimenti in capitale umano. Si tratta di un compito che richiede sforzi ben superiori alla pura e semplice erogazione monetaria; le fondazioni dovranno infatti dotarsi di una adeguata capacità di progettazione strategica, di attitudine alla relazione con i soggetti di terzo settore e alla progettazione partecipata, di capacità di coordinamento degli sforzi di una pluralità di soggetti, di attitudine alla verifica dei risultati delle azioni intraprese.

Questa difficile strada, che pareva ormai imboccata dalle fondazioni più lungimiranti, rischia ora di venire interrotta dall'articolo 11 della finanziaria approvata dalla maggioranza del parlamento nel dicembre del 2001; quell'articolo mira a riportare le fondazioni di origine bancaria nell'orbita delle amministrazioni locali, pregiudicandone l'autonomia e trasformandole in un puro e semplice organo di erogazione al servizio dell'amministrazione pubblica (o – ben peggio – della politica clientelare locale). Si tratta di un progetto miope, che non comprende i grandi cambiamenti compiuti dalla società italiana nell'ultimo decennio, di un progetto che si basa su una visione arcaica della rappresentanza sociale – tutta declinata attorno alle istituzioni elettive e totalmente inconsapevole della ricchezza e del valore del pluralismo delle istituzioni della società civile – di un progetto che «baratta» un po' di risorse per amministrazioni amiche del governo con la possibilità di creare, anche nel nostro paese, una parte di quelle «infrastrutture del pluralismo» che caratterizzano le società anglosassoni. Certo, era illusorio ritenere che le fondamentali infrastrutture private del pluralismo potessero nascere per decisione pubblica – così come è stato per le fondazioni bancarie – senza la forte opposizione proveniente dalle forze più conservatrici del paese.

6. La finanza etica

Che cos'è oggi la cosiddetta *finanza etica*? Ha senso definirla una nicchia del sistema finanziario? Sono giuste o sbagliate affermazioni come la seguente, che non di rado si sentono pronunciare: «la finanza etica è roba da "buoni", ma non rende»? E ancora, quali sono i prodotti finanziari che attualmente meglio la caratterizzano? Ha ragione chi sostiene che l'Italia, negli ultimi anni, sia diventata una delle frontiere più interessanti per questo comparto della finanza? E, soprattutto, visto il tema di questo libro, che rapporti intercorrono tra questo aspetto del sistema finanziario e il settore nonprofit? Sono tanti gli interrogativi, le curiosità, i desideri di saperne di più che la finanza etica suscita e ai quali proveremo a rispondere in questo capitolo.

Il fenomeno della finanza etica ha fatto la sua comparsa sulla scena italiana in tempi piuttosto recenti; le sue forme più evolute risalgono infatti alla metà degli anni Novanta, periodo nel quale sono stati creati i primi fondi comuni di investimento etici, è stato dato avvio al progetto di costituzione della Banca popolare etica e – soprattutto – i diversi strumenti offerti hanno cominciato a raccogliere risparmio dal pubblico, sia pure in quantità relativamente modeste. Nonostante la giovinezza, il fenomeno ha già conosciuto una significativa affermazione nel paese: ha ottenuto diversi riconoscimenti – prova ne sia che numerose istituzioni finanziarie prestigiose sono entrate nel settore con prodotti *ad hoc*, diversificando sapientemente l'offerta – ed ha suscitato, a vario titolo, nelle sue molteplici manifestazioni, l'interesse di tanti cittadini. L'espressione finanza etica è una tipica espressione contenitore, è un po' come un menu che prevede diverse portate per palati altrettanto diversi e dove, immancabilmente, finiscono per essercene alcune che vanno per la maggiore ed altre meno. Fuor di metafora, ci sono prodotti finanziari con un *appeal* forte nei confronti di fasce della popolazione particolarmente ampie, ed altri, invece, un po' più specializzati, che incontrano consenso prevalentemente, per esempio, nel mondo del terzo settore.

Una prima accezione del termine finanza etica fa riferimento ad una particolare politica di selezione – basata appunto su criteri «etici» – dei titoli che compongono un portafoglio azionario o obbligazionario; una accezione diversa è invece quella che vede nella finanza etica soprattutto uno strumento per facilitare l'accesso al credito da parte di organizzazioni del settore nonprofit. Le prenderemo in considerazione entrambe.

I fondi di investimento socialmente responsabili

Non c'è dubbio che oggi tra i prodotti finanziari etici che incontrano maggior favore tra il pubblico vi siano i cosiddetti fondi *socially responsible*, ossia quei fondi di investimento che selezionano i propri investimenti azionari ed obbligazionari sulla base di determinati parametri etici, comunemente definiti criteri negativi (o di esclusione) e criteri positivi (o di inclusione).

Si ricorre ai criteri negativi quando il gestore di un fondo seleziona i titoli (azionari o obbligazionari) escludendo quelli emessi da soggetti che non rispettano determinati parametri «etici» di comportamento, ad esempio aziende che inquinano, che operano nei settori della produzione e del commercio di armi, della produzione e distribuzione del tabacco oppure delle biotecnologie per usi alimentari. È ovvio che il paradigma etico applicato dai gestori di questi fondi può divergere fortemente dalla percezione comune, così come è implicito che le aziende che operano nei settori considerati «moralmente riprovevoli» dai gestori di alcuni di questi fondi generalmente lo fanno in maniera pienamente legittima, senza violare alcuna legge; di più, la maggiore o minore «eticità» dell'uso di alcune tecnologie, come ad esempio le biotecnologie alimentari, è oggetto di forte dibattito e non mancano opinioni – legittime e spesso assai rispettabili – di segno opposto. Sarebbe forse più corretto chiamare questi fondi «selettivi» piuttosto che etici, un aggettivo che implicitamente nega la patente di correttezza a soggetti che adottino politiche di selezione degli investimenti di tipo differente.

Si applicano, invece, criteri positivi, quando la selezione dei titoli comprende aziende per le quali sia prassi consolidata l'applicazione di codici etici di comportamento (preferibilmente elaborati con la collaborazione di organizzazioni nonprofit) e di codici di *corporate governance* (che riguardano i meccanismi di controllo interno, la separazione dei ruoli, la composizione del consiglio di amministrazione), la valorizzazione del capitale intellettuale (la formazione continua, la definizione di percorsi di carriera dei dipendenti), la partecipazione dei dipendenti alle decisioni e ai risultati finanziari. Nel caso degli Stati, poi, si privilegiano i soggetti operanti in paesi che hanno adottato le convenzioni internazionali sui diritti umani, nei quali vigono consolidati sistemi democratici, dove si applicano leggi severe contro lo sfruttamento del lavoro minorile. Anche in questo caso, l'aggettivo «selettivo» descrive meglio di altri le caratteristiche di questi fondi.

Ad effettuare queste selezioni tra titoli provvedono di solito, per conto dei gestori, apposite agenzie di *rating* socio-ambientale che stilano delle vere e proprie pagelle sulla base di criteri determinati e seguendo anche un approccio cosiddetto *best in class*: in tal modo vengono «premiati» non solo i soggetti che rispettano i parametri ma anche, per esempio, quelle aziende che – pur appartenendo a settori considerati a rischio dal punto di vista della sostenibilità socio-ambientale (come i comparti dell'auto, della chimica, dell'energia, del tessile) – hanno iniziato ad attuare azioni tese a limitare l'impatto ambientale delle proprie produzioni e a coinvolgere il personale nella gestione. Esempi di queste «azioni positive» sono: la predisposizione di progetti per lo sviluppo dell'utilizzo di forme di energia rinnovabili; la redazione, con la collaborazione di organizzazioni nonprofit, di codici etici aziendali; la riqualificazione e la bonifica dei siti industriali contaminati (anche se ereditati da altri); la realizzazione di programmi sanitari nelle comunità in cui operano; l'impegno per la crescita di paesi più poveri grazie a progetti di microcredito e di sviluppo delle economie locali. E così via.

I fondi *socially responsible* hanno negli Stati Uniti la loro patria d'elezione; qui, infatti, tra il 1999 e il 2000, gli impieghi nel settore hanno superato il 13% delle somme complessivamente investite in fondi comuni, mentre il 35% degli investitori istituzionali ha offerto un'opzione di investimento socialmente responsabile e il patrimonio totale gestito ha raggiunto l'astronomica cifra di oltre 2.000 miliardi di dollari.

In Italia i fondi di investimento *socially responsible* sono ancora numericamente limitati; se ne contano infatti non più di una decina, anche se alcuni hanno dimensioni significative, come ad esempio il fondo San Paolo-Imi azionario internazionale etico, che gestisce un patrimonio di circa un miliardo di euro e si contende il primato in Europa con la società inglese Friends, Ivory & Sime, attiva nel settore dal 1984 e leader in Gran Bretagna con oltre il 50% del mercato di riferimento. Si tratta tuttavia di un mercato in forte crescita se si pensa che, secondo una indagine della società Avanzi, i fondi europei *socially responsible* erano 159 nel 1999 e sono diventati 251 a metà del 2001.

Come ben evidenzia la tabella 4, i fondi etici sono riusciti a garantire rendimenti più che lusinghieri, in linea, se non superiori a quelli dei fondi tradizionali. Ne è un esempio il fondo Domini social equity fund, uno dei principali fondi *socially responsible* statunitensi, lanciato nel 1990 da Amy Domini, guru mondiale della finanza sostenibile, tra i fondatori della Kld – Kinder, Lydenberg, Domini – la più temuta agenzia di rating etico nel mondo e creatrice del Domini social index 400, uno dei principali *benchmark* etici al mondo, cioè di quell'ampio «paniere» di titoli con cui solitamente si confronta il rendimento di un qualunque fondo di investimento. Il fondo Domini social equity fund gestisce oggi un patrimonio di circa 1,5 miliardi di dollari e dal 1995 al 2000 ha garantito rendimenti medi del 29,58% a fronte del pur alto 28,58% registrato dallo Standard & Poor's 500, il *benchmark* tradizionale più usato negli Usa che raggruppa le prime 500 società americane per capitalizzazione di Borsa. Nel 2000, poi, la partita è stata vinta per 22,63 a 21,04, mentre se si estende il calcolo ai valori medi di tutto il decennio, le percentuali si abbassano un po', senza però che il risultato finale cambi: 19,79 a 19,43.

Per questa ragione i fondi etici suscitano un interesse crescente non solo tra i risparmiatori (che, sempre più numerosi, prendono atto che investire eticamente non vuol necessariamente dire rimetterci dei soldi), ma anche tra le imprese; queste ultime, avendo compreso che l'adozione di codici etici produce una reputazione che può rivelarsi preziosa come strumento di approvvigionamento di capitali, si mostrano sempre più attente alle istanze di sostenibilità socio-ambientale avanzate dai cittadini e dai consumatori e mettono in atto azioni che mirano a contenere le emissioni inquinanti e a legittimare l'azienda, presso le proprie comunità di riferimento, anche da un punto di vista sociale. Un esempio di questa condotta è il cosiddetto *cause related marketing*, cioè il marketing di un prodotto abbinato a una buona causa. Un altro esempio è la crescente at-

TAB. 4. *Performance di alcuni fondi etici confrontata con i rispettivi benchmark di riferimento nel periodo 6/6/1997 - 29/6/2001*

Nome	Dimensione	Benchmark	Performance benchmark	Performance fondo	Differenza
Fondi socially responsible					
San Paolo Azionario Etico	1 mld euro	Msci World	60%	85,5%*	26%
Family Charities Ethical	11 mln sterline	Msci World	60%	69%	9%
Sovereign Ethical	123 mln sterline	Msci World	60%	74%	14%
Henderson Ethical	65 mln sterline	Msci World	60%	74%	14%
Halifax Equitable Ethic Fund	56 mln sterline	Msci World	60%	111%	51%
Friends & Provident Stuardship	49 mln sterline	Ftse 100	57%	47%	–8%
Citizen Global Equity	327 mln $	S&P 500	102%	108%	6%
Dreyfus Premier third century	1 mld $	S&P 500	102%	91%	–12%
Fondi verdi					
Lloyds tsb Environmental	140 mln sterline	Ftse 100	57%	114%	59%
Cis Environ	150 mln sterline	Ftse 100	57%	41%	–16%
Npi Global care Income	40 mln $	Msci World	60%	89%	29%
Green Century	35 mln $	S&P 500	81%**	74%	–7%

* Performance al lordo delle imposte.
** Periodo di riferimento: 26/9/1997 - 26/9/2001.

Fonte: Bloomberg.

titudine delle imprese a finanziare progetti nel campo sociale: da una indagine condotta nel 2000 su di un campione di 800 aziende italiane, rappresentativo delle 8.618 imprese con oltre 100 addetti, è emerso che ben il 44% delle aziende ha finanziato almeno un'iniziativa di carattere sociale, per un valore complessivo di 800 milioni di euro.

Per tali ragioni l'Italia, soprattutto negli ultimi anni, è diventata una delle frontiere più interessanti per quanto concerne l'investimento socialmente responsabile. Colossi stranieri della finanza – come l'americana Mellon, la svizzera Sam-Sustainable Asset Management, la belga Dexiam, la francese Banca Cortal, tanto per citarne alcuni – hanno deciso di collocare fondi etici nel nostro paese. Istituti bancari nazionali di primaria importanza come Unicredito, Intesa Bci, Banca popolare di Milano, Banca popolare di Lodi, e molti altri, hanno fatto il loro esordio nel settore. Inoltre una delle testimonianze più eloquenti di questo generalizzato salto di qualità è ravvisabile nel fatto che sia stata proprio un'agenzia italiana di *rating*, la E. Capital Partners, a lanciare nell'ottobre del 2000 il primo *benchmark* etico europeo, l'*Ethical index euro*, che registra le performance di Borsa di 150 titoli europei di imprese socialmente responsabili. E, nel gennaio del 2002, l'*Ethical index global*, il *benchmark* etico mondiale con il più alto numero di aziende sotto osservazione: ben 750.

I fondi pensione

In tema di investimento socialmente responsabile, oltre ai fondi di investimento, un ruolo da protagonisti lo rivestono anche i fondi pensione, specie i fondi chiusi di categoria. A questi ultimi possono aderire solo i lavoratori dipendenti di imprese operanti entro uno specifico settore, mentre ai fondi aperti può aderire qualunque lavoratore, indipendentemente dal settore di attività.

I fondi pensione possiedono caratteristiche che li rendono particolarmente sensibili a questo discorso. Ad esempio, nei fondi chiusi di categoria la componente sociale e sindacale è molto forte e, con essa, anche le istanze di equità. Ancora, sono investitori istituzionali e quindi privilegiano l'investimento di medio-lungo periodo e non quello a breve, più speculativo. Insomma possono davvero contribuire significativamente allo sviluppo della finanza sostenibile. Negli Stati Uniti, nel 2000, su un totale di 2.139 miliardi di dollari di capitale gestito in maniera socialmente responsabile, oltre il 60% proveniva dai fondi pensione. Grandi imprese come General Motors, General Electric, Ford, offrono piani di accumulo socialmente responsabili. Un fondo blasonato come il Tiaa Cref (3,5 miliardi di dollari di patrimonio amministrato) già dal 1993 aveva lanciato l'opzione sociale per i sottoscrittori e definito insieme ad essi i parametri di selezione degli investimenti.

Discorso analogo vale per la Gran Bretagna dove, nell'estate del 2000, è stata emanata una legge che impone ai gestori di fondi pensione di comunicare se vengono seguiti o meno criteri etici di esclusione/inclusione nella scelta degli impieghi. Ebbene, subito dopo l'entrata in vigore del provvedimento, ben il 72% dei fondi pensione operanti nel Regno Unito ha dichiarato di essere disposto ad utilizzare parametri socio-ambientali nella selezione degli investimenti di portafoglio.

Nel maggio del 2001, una legge simile è stata approvata in Germania, con un'importante variante: l'obbligo di comunicazione è stato esteso anche ai fondi aperti, cioè quelli cui è possibile iscriversi liberamente, indipendentemente dalla categoria professionale di appartenenza. In Italia siamo ancora agli inizi. Finora solo l'Unipol ha lanciato un fondo pensione con queste caratteristiche. Ma il decollo del «secondo pilastro previdenziale» sembra ormai imminente in virtù della decisione del governo di destinare ai fondi pensione il trattamento di fine rapporto (tfr), decisione che potrebbe avere ripercussioni positive anche sugli investimenti socialmente responsabili.

Finanza etica e settore nonprofit

Se l'investimento socialmente responsabile rappresenta oggi sicuramente uno dei volti più interessanti della finanza etica italiana, non vi è tuttavia dubbio che una delle prime accezioni assunte da questo termine nel dibattito italiano aveva un senso assai diverso rispetto a quello della selezione di titoli da inserire in portafoglio. In origine, la finanza etica italiana era infatti soprattutto «credito per il terzo settore». Chiunque abbia operato in una organizzazione nonprofit, dalla piccola associazione di volontariato fino alla cooperativa sociale con un fatturato di diversi milioni di euro, è infatti a conoscenza del problema che angustia il settore: la possibilità di ottenere credito, sia per finanziare l'investimento fisico (l'acquisto di sedi, attrezzature e macchinari) che per sostenere la gestione corrente.

Il credito è necessario per lo svolgimento di ogni attività economica; serve a finanziare la crescita e anche a rendere più fluida la gestione delle attività di ogni giorno. Questa necessità è particolarmente acuta per organizzazioni – come le nonprofit – che tradizionalmente sono dotate di un capitale limitato e che dunque faticano più di altre imprese a sostenere la propria crescita e la propria gestione. La scarsa dotazione patrimoniale è una conseguenza del vincolo di non distribuzione dei profitti: se il capitale non può essere remunerato, gli incentivi ad investirlo nell'impresa sono modesti.

Il capitale proprio non è tuttavia indispensabile per operare: potrebbe infatti essere sostituito da capitale preso a prestito ed opportunamente remunerato, cioè proprio dal credito. Tuttavia, i potenziali creditori (tanto i privati cittadini che le banche nella loro funzione di intermediari del credito e del risparmio) corrono un rischio prestando il proprio capitale ad una impresa e vogliono quindi cautelarsi. Poiché l'impresa rischia di non potere restituire il prestito ottenuto, il creditore vuole essere garantito che il suo capitale sia protetto; per questo chiede garanzie adeguate. La garanzia più frequentemente richiesta dalle banche è... la disponibilità di un capitale sociale adeguato che possa essere utilizzato per restituire i prestiti in caso di fallimento dell'organizzazione. E qui il cerchio si chiude per le nonprofit: non hanno capitale e quindi chiedono prestiti, ma faticano ad ottenerli perché non hanno un capitale da dare in garanzia. Quando non riescono ad ottenere garanzie – o comunque quando ritengono di trovarsi di fronte un debitore particolarmente «a rischio» – i creditori si cautelano chiedendogli di pagare un tasso di interesse più alto, che li compensi del maggiore rischio che corrono.

Questa è dunque la situazione che molte nonprofit lamentano nel mercato del credito: credito razionato (o negato totalmente) o credito caro, più che per altri operatori. Il tutto per imprese che – dice qualcuno – non sono realmente più rischiose di quelle che perseguono finalità di lucro; sono solo meno patrimonializzate e dunque meno dotate di garanzie reali.

Ovviamente questo discorso riguarda esclusivamente quella parte del settore nonprofit che svolge attività economicamente rilevanti che creano valore aggiunto, mentre non ha nulla a che vedere con le organizzazioni che hanno una pura e semplice natura redistributiva, cioè erogano gratuitamente beni o servizi finanziandosi con le entrate derivanti da donazioni; per queste organizzazioni il credito non ha – e non può avere – la funzione economica che gli abbiamo appena attribuito.

È in questo contesto che si sono sviluppate le prime iniziative italiane di finanza etica, ed i pionieri nel tentativo di facilitare l'accesso al credito da parte delle organizzazioni italiane del terzo settore sono state le Mutue di autogestione (Mag). Nate tra il 1978 e il 1995, esse hanno avuto come scopo principale l'erogazione di credito – in dimensioni ridotte e a tassi di interesse contenuti o comunque inferiori a quelli di mercato per soggetti con pari grado di rischio – a organizzazioni del terzo settore che difficilmente avrebbero potuto avere accesso al circuito creditizio tradizionale.

La prima Mag a nascere fu quella di Verona; l'ultima, la Mag di Suzzara, in provincia di Mantova. Nell'arco di circa 17 anni hanno visto la luce Mag 2 finance di Milano; Mag Servizi di Verona/Chievo; Autogest di Udine; Mag 3, ora Spes, di Padova; Mag 4 Piemonte; Mag 6 Servizi di Reggio Emilia; Ctm-Mag, ora Consorzio Etimos, di Padova; Mag Venezia.

Nonostante l'impatto modesto (con prestiti concessi per pochi milioni di euro), le Mag sono state le prime società finanziarie a introdurre nel nostro paese il microcredito e a sostenere quei soggetti del nonprofit impegnati nella realizzazione di progetti di solidarietà sociale, di tutela ambientale e finalizzati allo sviluppo della cooperazione sociale e del commercio equo e solidale. Diverse sono le ragioni che spiegano perché le Mag sono riuscite in questo compito – impossibile per il sistema bancario tradizionale – assumendosi un rischio relativamente modesto; in primo luogo perché i prestiti vengono concessi dopo adeguate analisi della fattibilità economica delle iniziative da sostenere, un costo che il sistema bancario non può sopportare per iniziative di dimensioni tanto piccole e che le Mag coprono anche grazie a prestazioni volontarie; in secondo luogo e, soprattutto, perché viene concesso credito a soggetti che condividono un universo valoriale comune con i creditori, che vivono le stesse esperienze sociali e culturali, che piuttosto che non restituire un prestito sarebbero disposti a rimetterci di persona (e che talvolta firmano fideiussioni personali), che sono continuamente controllabili dal creditore in virtù del ridotto numero di prestiti concessi e della vicinanza dei debitori. Caratteristiche che riducono il grado di rischio del debitore e che difficilmente potrebbero essere replicate su di una scala più grande, come quella in cui opera tradizionalmente il sistema bancario.

La diffusione delle Mag subisce una brusca frenata quando la legislazione sul credito limita grandemente le loro possibilità di espansione; per potere continuare a svolgere le funzioni precedenti – e per farlo su di una scala finalmente significativa – è necessario compiere un salto di qualità: si comincia a pensare ad una vera e propria banca e le Mag sono tra i soggetti promotori della Banca popolare etica.

La Banca popolare etica

Non c'è dubbio che se la finanza etica in Italia è oggi riuscita a raggiungere tanta notorietà, lo si deve in buona parte alla Banca popolare etica, l'unica banca italiana pensata sin dall'inizio con l'intento ben preciso di diventare, molto semplicemente, la Banca del settore nonprofit. Non è possibile, quindi, parlare della Banca popolare etica senza fare, seppur brevemente, cenno all'avventura (perché di una vera e propria avventura si è trattato) che ha portato alla sua costituzione. E che comincia alla vigilia di Natale del 1994, proseguendo poi per quasi cinque anni, fino all'8 marzo del 1999, data di apertura del primo sportello dell'istituto a Padova.

L'idea di dar vita a una banca che avesse lo scopo esclusivo di sostenere le organizzazioni nonprofit, orientare il risparmio verso iniziative di utilità sociale, ed erogare il credito non confidando solo sulle garanzie patrimoniali ma principalmente sulla significatività socio-economica ed occupazionale dei loro progetti imprenditoriali nacque da un'intuizione che le Mag, le Acli, l'Arci, l'Agesci e poche altre associazioni (in tutto 22) ebbero nell'ormai lontano 1994, allorché decisero di costituire l'Associazione verso la Banca etica, con l'obiettivo di definire le tappe costitutive di una banca amica del terzo settore.

Quando l'iniziativa prese il via, all'estero esistevano già realtà simili che avevano conseguito risultati importantissimi. Guardando all'Europa c'era l'olandese Triodos bank, nata nel 1980 (e oggi con filiali in Inghilterra e Belgio) e attiva nei settori dell'ambiente, del nonprofit, della cooperazione internazionale, del commercio equo e solidale; la tedesca Oekobank, costituita nel 1988 sulla spinta del movimento verde, con lo scopo di sostenere progetti ecocompatibili e socialmente utili. Con le stesse caratteristiche poi, nel 1990, aveva visto la luce la svizzera Alternative Bank Suisse. Un po' diversa, ma sicuramente affine per finalità e sensibilità, era poi la Grameen Bank del Bangladesh: fondata dall'economista Muhammad Yunus nel 1976, rappresenta oggi la quinta banca del paese, con una raccolta di oltre un miliardo di euro, i tre quarti dei quali impiegati a favore dei 2 milioni circa di membri nullatenenti (quasi tutte donne) dislocati in 34.000 villaggi.

Tuttavia l'Italia, a metà degli anni Novanta, appariva a molti ancora impreparata a raccogliere una sfida come quella lanciata a Padova. Invece, già pochi mesi dopo la sua costituzione, il 10 giugno 1995, all'Associazione verso la Banca etica subentrò la Cooperativa verso la Banca etica, che cominciò subito la raccolta del capitale minimo necessario (2 miliardi di lire) per costituire una Banca di credito cooperativo (Bcc). Il fatto però che come Bcc l'istituto potesse operare solo in ambito locale indusse i soci della cooperativa a cambiare rotta, accettando la sfida più ambiziosa di costituire una banca popolare. Che per nascere, tuttavia, necessitava di un capitale minimo di 12 miliardi e mezzo di lire. Il resto è storia recente. La banca, grazie al contributo di migliaia e migliaia di soci, che oggi si aggirano intorno alle 16 mila unità, di cui quasi 2.500 persone giuridiche, raggiunse nel giro di tre anni i 12,5 miliardi di patrimonio, ottenne l'autorizzazione ad operare dalla Banca d'Italia e aprì il primo sportello a Padova, come già ricordato, l'8 marzo del 1999, data quanto mai simbolica. L'otto marzo, infatti, è la festa della donna. E la banca è, «per definizione», donna. Inoltre, ricorreva il ventunesimo anniversario del primo prestito «alternativo» erogato dalla Mag di Verona ad una cooperativa agricola della Valpolicella che, per la circostanza, decise di chiamarsi proprio Cooperativa otto marzo. Attualmente la Banca popolare etica può contare su 5 sportelli (oltre a Padova, Brescia, Milano, Roma, Vicenza), una trentina di dipendenti, una raccolta sui 100 milioni di euro e quasi un migliaio di progetti finanziati. È inoltre già a uno stadio avanzato il progetto di dar vita, insieme alla Banca popolare di Milano, a un fondo di investimento *socially responsible* che ispiri la selezione degli investimenti a rigorosi criteri di sostenibilità socio-ambientale.

La Cosis

In questo ideale viaggio nella finanza etica a sostegno del terzo settore, dopo le Mag e la Banca popolare etica, vi è una ulteriore tappa che merita una menzione particolare. E concerne Cosis, la Compagnia sviluppo imprese sociali, nata a metà degli anni Novanta su impulso dell'Ente Cassa di risparmio di Roma (una fondazione di origine bancaria) con l'idea di creare la prima *merchant bank* etica italiana allo scopo di sostenere l'attività delle cooperative sociali, operanti soprattutto nel Mezzogiorno.

Perché una *merchant bank?* La scommessa di questa organizzazione era quella di poter fare di più per il terzo settore rispetto alla pura e semplice erogazione di credito e di poter accrescere le dotazioni patrimoniali delle imprese nonprofit, sia ricorrendo a investimenti patrimoniali della stessa Cosis (da recuperare nel tempo, grazie alla maggiore autonomia e patrimonializzazione consentita dalla crescita delle organizzazioni in cui si era investito), sia accedendo a preziose ed utilissime risorse comunitarie che raramente venivano utilizzate dal terzo settore. Il «di più» sarebbe stato principalmente indirizzato alla crescita occupazionale delle organizzazioni.

Cosis ha finora contribuito alla creazione di diverse migliaia di nuovi posti di lavoro e presto dovrebbe cambiare denominazione, trasformandosi in Alma bank (Banca con l'anima), divenendo una vera e propria banca che farà raccolta allo sportello ed indirizzerà le sue risorse in particolar modo verso le organizzazioni nonprofit attive nel meridione d'Italia.

Altri strumenti di finanza etica

Se quelli elencati rappresentano, in un certo senso, i principali protagonisti della finanza etica italiana, bisogna tuttavia aggiungere che con questo termine si descrivono spesso anche strumenti e soggetti assai diversi ed accomunati solo da una – più o meno evidente – «finalità sociale» nell'uso del denaro.

In primo luogo vanno sommariamente descritte le esperienze di «canalizzazione delle donazioni» che, pur dimostratesi un sostanziale fallimento, hanno calcato la scena finanziaria del settore nonprofit per qualche anno sul finire dello scorso decennio. Tra queste si segnalano i conti correnti etici, che prevedono la donazione – da parte del correntista – di una percentuale del tasso attivo di interesse a determinate organizzazioni nonprofit. Analogo funzionamento hanno i fondi, definiti «a devoluzione», che si definiscono etici perché offrono la possibilità ai sottoscrittori di destinare una parte delle commissioni di gestione o dei rendimenti del fondo ad una o più organizzazioni nonprofit, di solito incluse in un paniere di enti già selezionati dal gestore. Sia nel caso dei conti correnti che dei fondi, alla donazione del correntista si aggiunge poi – ma non sempre – quella del gestore, calcolata a forfait o sulla base di una percentuale del patrimonio gestito. L'insuccesso di questi strumenti non era difficile da prevedere; perché mai un donatore dovrebbe fare le proprie donazioni attraverso una banca? Che vantaggio ne potrebbe ricavare?

Maggiore successo, invece, hanno registrato i *bond* etici, i prestiti obbligazionari emessi per sostenere una buona causa e finora lanciati dall'Ambroveneto (per finanziare la ristrutturazione di una casa per anziani a Thiene, vicino Vicenza) e dalla Banca popolare di Lodi (per finanziare il restauro del complesso di Santa Croce ad Assisi). Dovrebbero essere finalmente al via anche i «titoli di solidarietà», previsti dalla Legge Zamagni (art. 29 del d. lgs. n. 460/97) per dare l'opportunità alle Onlus di ricorrere al mercato dei capitali per approvvigionarsi finanziariamente, ma finora rimasti al palo perché non ancora operativa l'Agenzia per le Onlus che ha il compito di vigilare sulle emissioni dei titoli.

La definizione di finanza etica si allarga ulteriormente fino ad abbracciare il cosiddetto microcredito, prestiti di modesta entità ad individui caratterizzati da condizioni di svantaggio, concessi al fine di favorire la loro autonomia economica e sociale. Questa tecnica pionieristicamente iniziata dalla Grameen Bank si è rivelata – in contesti temporali e territoriali anche molto differenti tra di loro – uno strumento davvero efficace per contribuire, per esempio, alla ricostruzione del tessuto economico e civile di paesi martoriati dalla guerra (si pensi al Kosovo). Oppure, per creare nuova occupazione e imprenditorialità giovanile, come è accaduto in Italia con il cosiddetto «prestito d'onore», una forma di microcredito «a metà» promossa dal governo nella seconda metà degli anni Novanta e che consisteva in un mix di contributo a fondo perduto e di credito a tasso agevolato, per un importo complessivo di circa 30.000 euro, erogato dalla società pubblica Sviluppo Italia a giovani privi di garanzie patrimoniali ma con una buona idea imprenditoriale. Al riguardo, ha scritto Marco Vitale, già commissario straordinario della Missione arcobaleno, gestione fondi privati, che con il Grameen Trust del professor Yunus ha collaborato alla gestione del fondo per il Microcredito in Kosovo: «Il prestito d'onore (verso il quale è corretto che confessi che inizialmente ero molto diffidente se non contrario) si è dimostrato un grande successo e non esiste in Europa un altro paese che abbia accumulato, insieme all'attività per lo sviluppo delle imprese giovanili, un *know how* così prezioso».

Appendice
Carta della donazione

DIRITTI DEI DONATORI

I donatori donano per consentire alle Organizzazioni nonprofit il perseguimento della loro missione. Pertanto, essi hanno il diritto ad un uso delle risorse da loro messe a disposizione che sia efficace rispetto allo scopo per cui la donazione viene fatta, efficiente nella gestione economica ed equo rispetto alle diverse pretese, bisogni e richieste connesse a quella finalità.

I
Destinazione della donazione

I donatori hanno diritto ad un uso delle risorse da loro messe a disposizione che sia finalizzato in modo efficace ed efficiente allo scopo per cui la donazione viene fatta.

II
Trasparenza e completezza di informazione sull'Organizzazione

I donatori hanno diritto di ricevere complete ed esaurienti informazioni:
- sulla struttura operativa dell'Organizzazione, sui suoi organi di governo, sull'identità e il ruolo dei soggetti che collaborano con l'Organizzazione e con i quali entrano in contatto;
- sulla missione e la finalità che l'Organizzazione persegue.

III
Trasparenza e completezza di informazione sull'iniziativa da sostenere

I donatori hanno diritto di ricevere complete ed esaurienti informazioni:
- sulle finalità, i tempi e le modalità d'attuazione delle iniziative da sostenere;
- sui risultati ottenuti attraverso la donazione.

IV
Disponibilità delle informazioni
I donatori hanno diritto di prendere visione del rendiconto annuale dell'Organizzazione.

V
Partecipazione all'attività dell'Organizzazione
I donatori hanno diritto di manifestare le proprie considerazioni sull'attività dell'Organizzazione, nonché di conoscere ed esercitare (quando previsti) i diritti stabiliti dalle norme statutarie dell'Organizzazione ai fini della elezione degli organi societari.

VI
Rispetto della persona
I donatori hanno diritto ad essere rispettati nella propria libera volontà e a non essere indotti a donare attraverso eccessive pressioni, sollecitazioni o strumenti pubblicitari ingannevoli o non veritieri.

VII
Tutela dei dati personali
I donatori hanno diritto ad aver garantita la loro riservatezza. In particolare, i loro dati personali verranno utilizzati unicamente secondo le finalità dell'Organizzazione, escludendo ogni trasferimento non espressamente autorizzato, anche gratuito, ad altre strutture o organizzazioni. I donatori potranno chiederne comunque, in ogni momento, la cancellazione.

VIII
Riconoscimento del contributo dato
I donatori hanno diritto di ricevere dall'Organizzazione la gratitudine per la donazione fatta.

IX
Garanzia di indipendenza e non discriminazione
I donatori hanno diritto a che le risorse raccolte siano impiegate dall'Organizzazione in modo indipendente da qualunque condizionamento estraneo alla missione, sia esso di tipo ideologico, politico o commerciale, e senza che vi siano discriminazioni in base al sesso, la razza, l'ideologia e il credo religioso.

DIRITTI DEI DESTINATARI DELLE ATTIVITÀ SOCIALI

I destinatari delle attività di solidarietà e promozione sociale delle Organizzazioni nonprofit, siano essi soggetti individuali fruitori diretti di un servizio, ovvero membri di gruppi portatori di legittimo interesse o membri della collettività che beneficia, nel suo insieme, della missione dell'Organizzazione, hanno il diritto di pretendere che le Organizzazioni perseguano la loro missione. Pertanto, essi hanno il diritto ad un impiego delle risorse che sia efficace rispetto allo scopo per cui la donazione viene fatta, efficiente nella gestione economica ed equo rispetto alle diverse pretese, bisogni e richieste, connessi a quella finalità.

I
Destinazione delle risorse

I destinatari delle attività sociali delle Organizzazioni nonprofit hanno diritto ad un uso delle risorse a loro messe a disposizione che sia finalizzato in modo efficace, efficiente ed equo allo scopo per cui la donazione viene fatta.

II
Trasparenza e completezza di informazione

I destinatari delle attività sociali delle Organizzazioni nonprofit possono richiedere e hanno il diritto di ricevere, nei modi pertinenti alle diverse situazioni, complete ed esaurienti informazioni:
* sulla missione e la finalità che l'Organizzazione persegue;
* sulla natura e sulle modalità di erogazione dei servizi prestati dall'Organizzazione;
* sull'identità e il ruolo dei soggetti che collaborano con l'Organizzazione e con i quali entrano in contatto.

III
Partecipazione

I destinatari delle attività sociali delle Organizzazioni nonprofit hanno il diritto di formulare suggerimenti, qualora siano nella condizione di farlo, per migliorare le attività dell'Organizzazione finalizzate al perseguimento della missione.

IV
Rispetto della loro persona

Nel caso in cui i destinatari delle attività sociali delle Organizzazioni nonprofit siano persone fisiche, hanno diritto di essere trattati nel pieno rispetto della loro persona. In particolare, si dovrà evitare il ricorso ad informazioni suggestive o lesive della loro dignità e decoro.

V
Tutela dei dati personali

Nel caso in cui i destinatari delle attività sociali delle Organizzazioni nonprofit siano persone fisiche, hanno diritto ad aver garantita la loro riservatezza. In particolare, i loro dati personali verranno utilizzati unicamente secondo le finalità dell'Organizzazione, escludendo ogni trasferimento non espressamente autorizzato, anche gratuito, ad altre strutture o organizzazioni. I destinatari delle attività sociali delle Organizzazioni nonprofit potranno chiederne, in ogni momento, la cancellazione.

VI
Garanzia di indipendenza e non discriminazione

I destinatari delle attività sociali delle Organizzazioni nonprofit hanno diritto a che le risorse raccolte siano impiegate dall'Organizzazione in modo indipendente da qualunque condizionamento estraneo alla missione, sia esso di tipo ideologico, politico o commerciale, e senza che vi siano discriminazioni in base al sesso, la razza, l'ideologia e il credo religioso.

RESPONSABILITÀ DELLE ORGANIZZAZIONI NONPROFIT

Per garantire ai donatori e ai destinatari delle attività di solidarietà e promozione sociale i loro diritti, e a garanzia di correttezza verso l'esterno, le Organizzazioni aderenti alla presente Carta si assumono le responsabilità qui di seguito illustrate.

I
Missione

Esse si impegnano a perseguire e rendere pubblica la loro missione, a concorrere, cioè, al benessere sociale generale della collettività e dei singoli, innalzando la quantità e qualità della vita, adoperandosi per la diminuzione delle disuguaglianze, delle forme di povertà, di disagio e di discriminazione sociale e promuovendo la giustizia sociale e i diritti delle persone, la ricerca, la cultura, le diverse forme del sapere e la tutela dell'ambiente naturale e sociale. Gli interessi economici e ogni altra utilità a favore di quanti, ad ogni titolo, collaborano con l'Organizzazione possono essere perseguiti solo in quanto siano subordinati e funzionali al perseguimento della missione.

II
Efficacia
Esse si impegnano ad un uso delle risorse, tanto di lavoro quanto di finanziamento a loro disposizione, che sia efficace e mirato a conseguire, al massimo grado, le proprie finalità sociali.

III
Efficienza
Esse si impegnano a coordinare in modo efficiente l'apporto dei diversi soggetti (donatori, volontari, collaboratori) che a vario titolo contribuiscono al perseguimento della missione, in modo che nessuna risorsa di solidarietà vada sprecata. Inoltre, si impegnano a mantenere le condizioni attraverso le quali i diversi soggetti che cooperano alla realizzazione della missione mantengano nel tempo il massimo grado di impegno.

IV
Equità
Esse si impegnano a trattare equamente, in tutte le decisioni di natura distributiva, i soggetti a vario titolo coinvolti nel perseguimento della missione. In particolare, è equo distribuire le risorse e le prestazioni in modo proporzionale ai bisogni identificati dalla finalità e dalla missione dell'Organizzazione, nonché in modo proporzionale al merito (e alla meritorietà della causa) di coloro che, con la loro attività, concorrono al perseguimento della missione. Inoltre è equo garantire ai donatori e volontari, che contribuiscono con i propri apporti all'opera della Organizzazione, adeguata riconoscenza delle loro azioni meritorie, nonché ai dipendenti e ai collaboratori un trattamento che tenga conto del loro contributo e sia rispettoso delle norme vigenti.

V
Imparzialità e non discriminazione
Esse si impegnano ad astenersi da ogni discriminazione arbitraria tra beneficiari, tra collaboratori, tra volontari e tra donatori. In particolare, non sono ammesse discriminazioni in base al sesso, alla razza, all'ideologia e al credo religioso, a meno che la specifica preferenza accordata a determinate categorie di destinatari, nonché l'identificazione di peculiari caratteristiche dei collaboratori siano interamente funzionali al perseguimento della missione.

VI
Indipendenza

Esse si impegnano a non ricevere atti di liberalità che, per le caratteristiche politiche, culturali od economiche del donatore, potrebbero pregiudicarne l'indipendenza.

Ogni associato, dipendente o collaboratore a qualsiasi titolo dell'Organizzazione si impegna, inoltre, ad evitare situazioni in cui possa configurarsi un conflitto di interessi nei riguardi dell'Organizzazione. (Il conflitto di interessi sorge nel caso in cui il perseguimento dell'interesse personale dell'associato, del dipendente o del collaboratore possa pregiudicare il raggiungimento della missione o non sia comunque ad essa subordinato.)

VII
Trasparenza

Esse si impegnano a rendere conto, ai donatori e ai destinatari, delle loro attività sociali, evidenziando la relazione tra le finalità annunciate e l'utilizzo effettivo dei fondi raccolti.

Pertanto le Organizzazioni si impegnano a curare la redazione e la pubblicizzazione in modo chiaro, veritiero e puntuale, con mezzi adeguati alle proprie dimensioni e attraverso l'utilizzo di regolari scritture contabili, della loro situazione patrimoniale e finanziaria, in modo da rendere manifesti sia la provenienza che l'utilizzo di tutte le risorse economiche amministrate.

Inoltre a fornire al pubblico e ai donatori una chiara e veritiera informazione sugli scopi che esse perseguono, sulle finalità, i tempi e le modalità d'attuazione delle iniziative da sostenere, nonché sulle attività svolte attraverso l'impiego dei fondi stessi.

Si impegnano, infine, a non promuovere alcuna raccolta di fondi se non accompagnata da una chiara e veritiera informazione sugli scopi e sulle attività per i quali verranno impiegati i fondi stessi.

Le organizzazioni promotrici della «Carta della donazione» sono Sodalitas, Summit della solidarietà, Forum permanente del terzo settore.

Per saperne di più

Le molte discipline che si sono occupate del settore nonprofit non rendono semplice la compilazione di una bibliografia essenziale. Quella proposta riflette l'approccio economico-politico del volume e non è quindi completa ed esaustiva.

Il fenomeno nonprofit nelle sue dimensioni generali è ormai affrontato da una pluralità di fonti. Oltre allo storico G.P. Barbetta (a cura di), *Senza scopo di lucro*, Bologna, Il Mulino, 1996 che ha per primo misurato le dimensioni complessive del settore, sono ora disponibili i risultati del censimento dell'Istat, *Istituzioni nonprofit in Italia*, Roma, 2001.

Per quello che riguarda le dimensioni dei principali comparti del settore, sul volontariato la fonte ufficiale è ancora Istat, *Le organizzazioni di volontariato in Italia*, Roma, 1999; come pure utile si rivela la bancadati della Fondazione italiana per il volontariato (www.fivol.it); sull'associazionismo si possono consultare i periodici rapporti dell'Iref, pubblicati ormai da vari anni ed in varie edizioni; sulla cooperazione sociale, la migliore fonte è Centro Studi Cgm, *Imprenditori sociali*, Torino, Edizioni Fondazione Giovanni Agnelli, 1997; sulle fondazioni in generale il riferimento più recente è Aa.Vv., *Per conoscere le fondazioni*, Torino, Edizioni Fondazione Giovanni Agnelli, 1997; sulle fondazioni di origine bancaria si possono invece consultare i rapporti dell'Acri, giunti ormai alla sesta edizione.

Per una descrizione delle dimensioni e delle caratteristiche generali del settore nonprofit in altri paesi, la fonte obbligata è L. Salamon, H. Anheier e associati, *Global civil society*, Baltimore, The Johns Hopkins Center for Civil Society, 1999; la ricerca che ha prodotto questo volume ha portato anche alla pubblicazione di volumi di descrizione sul settore nonprofit dei principali paesi europei, degli altri paesi industrializzati e di alcuni paesi in via di sviluppo. I riferimenti sono riportati nel volume citato.

Sulle spiegazioni economiche dell'esistenza di organizzazioni senza scopo di lucro non esiste una sintesi unica. Si possono però consultare i lavori di L. Angeloni, *L'analisi economica e le organizzazioni nonprofit: alcuni riferimenti concettuali*, in C. Borzaga, G. Fiorentini e A. Matacena (a cura di), *Non-profit e sistemi di welfare*, Roma, Nis, 1996; A. Bacchiega e C. Borzaga, *L'impresa sociale come struttura di incentivo: un'analisi economica*, in C. Borzaga e J. Defourny (a cura di), *L'impresa sociale in prospettiva europea*, Edizioni 31, 2001. I contributi originali citati in questo volume sono: H. Hansmann, *The role of nonprofit enterprise*, in «Yale Law Journal», 1980, n. 89; B. Weisbrod, *The nonprofit economy*, Cambridge, Mass., Harvard University Press, 1988; e soprattutto l'ottimo lavoro di H. Hansmann, *The ownership of the enterprise*, Cambridge, Mass., Harvard University Press, 1996. Utile, per una prospettiva italiana, anche il lavoro di S. Zamagni (a cura di), *Nonprofit come economia civile*, Bologna, Il Mulino, 1998.

Il rapporto tra terzo settore e occupazione è affrontato dal lavoro di C. Borzaga e A. Santuari (a cura di), *Servizi sociali e nuova occupazione: l'esperienza delle nuove forme di imprenditorialità sociale in Europa*, Regione autonoma Trentino-Alto Adige; per un'analisi del personale e delle motivazioni al lavoro si veda anche C. Borzaga, *Capitale umano e qualità del lavoro nei servizi sociali*, Milano, Fondazione Italiana per il Volontariato, 2000.

Sui rapporti tra enti pubblici e organizzazioni nonprofit la letteratura si è molto sviluppata negli ultimi anni. Alcuni riferimenti sono, oltre al già citato lavoro di Borzaga, Fiorentini e Matacena, anche i lavori di G. Fiorentini, *Pubblico e privato nel nuovo welfare*, Bologna, Il Mulino, 2000; C. Ranci, *Oltre il welfare state*, Bologna, Il Mulino, 1999 e G.P. Barbetta, *Il settore nonprofit italiano*, Bologna, Il Mulino, 2000.

Sulla finanza etica, si possono consultare: M. Bartolomeo e D. Dal Maso, *Finanza e sviluppo sostenibile*, Milano, Il Sole-24 Ore Libri, 2001; F. Bicciato (a cura di), *Finanza etica e impresa sociale*, Bologna, Il Mulino, 2000; M. Calvi, *Sorella Banca*, Saronno, Editrice P. Monti, 2000; Amy Domini, *Socially responsible investing*, Chicago, Dearborn Trade, 2001; F. Maggio, *I soldi buoni*, Saronno, Editrice P. Monti, 2001; M. Yunus, *Il banchiere dei poveri*, Milano, Feltrinelli, 1998.

Sulle fondazioni il testo chiave è il recentissimo A. Schlüter, V. Then e P. Walkenhorst (a cura di), *Foundations in Europe. Society, management and law*, Gütersloh, Bertelsmann Stiftung Publisher, 2001 (http://www.bertelsmann-stiftung.de).

Infine per quanto riguarda le informazioni on line segnaliamo le numerosissime pagine web sul nonprofit:

Organizzazioni del settore

Acli - Associazioni cristiane lavoratori italiani: http://www.acli.it

Adiconsum - Associazione italiana difesa consumatori e ambiente: http://www.adiconsum.it

Agc - Solidarietà: http://www.agci.it

Agesci - Associazione guide e scout cattolici italiani: http://www.agesci.org

Aibi - Associazione amici dei bambini: http://www.aibi.it

Amnesty international Italia: http://www.amnesty.it

Ancst - Settore cooperative sociali - Associazione nazionale cooperative di servizi e turismo: http://www.ancst.it

Anolf - Associazione oltre le frontiere: http://www.anolf.it

Anpas - Associazione nazionale pubbliche assistenze: http://www.anpas.it

Arci - Associazione ricreativa culturale italiana: http://www.arci.it

Associazione ambiente e lavoro: http://www.amblav.it

Associazione per la pace: http://www.romacivica.net/assopace

Auser - Associazione per l'autogestione dei servizi e solidarietà: http://www.auser.it

Avis - Associazione volontari italiani del sangue: http://www.avis.it

Cesvi - Cooperazione e sviluppo: http://www.cesvi.org

Cilap - Collegamento italiano di lotta alla povertà: http://www.romacivica.net/cilap

Cipsi - Coordinamento di iniziative popolari di solidarietà internazionale: http://www.tin.it/cipsi

Cisp - Comitato internazionale per lo sviluppo dei popoli: http://www.cisp-ngo.org

Cocis - Coordinamento delle organizzazioni non governative per la cooperazione internazionale allo sviluppo: http://www.cocis.it

Comitato per il telefono azzurro: http://www.azzurro.it/

Commercio equo e solidale in Italia: http://www.equo.it/

Comunità di Capodarco: capodarco@sinet.it

Conferenza permanente delle associazioni e delle federazioni nazionali di volontariato: http://www.convol.org

Consorzio Gino Mattarelli - Consorzio nazionale della cooperazione sociale: http://www.retecgm.it

Ctm - Cooperazione terzo mondo: http://www.altromercato.it

Cts - Centro turistico giovanile: http://www.cts.it

Emergency: http://www.emergency.it

Emmaus Italia: http://www.emmaus.it

Endas - Ente nazionale democratico di azione sociale: http://www.endas.it

Fair world: http://www.commercioequo.org/

Fairtrade: http://www.fairtrade.net/

Federazione compagnia delle opere - Settore nonprofit: http://www.cdo.it

Fict - Federazione italiana delle comunità terapeutiche: http://www.fict.it

Fimiv - Federazione italiana mutualità integrativa volontaria: http://www.fimiv.it

Focsiv - Federazione organismi cristiani di servizio internazionale volontario: http://www.noprofit.org/cat/focsiv.htm

Fondo per la natura: http://www.fondoperlaterra.org

Lav - Lega anti vivisezione: http://www.mclink.it/assoc/lav

Legambiente: http://www.legambiente.com

Libera - Associazione contro le mafie: http://www.libera.it

Lila - Lega italiana per la lotta contro l'Aids: http://www.lila.it

Lipu - Lega italiana protezione uccelli: http://www.lipu.it

Manitese: http://www.manitese.it

Medici senza frontiere: http://www.msf.it

Movi - Movimento di volontariato in Italia: http://www.volontariato.it/

Movimento difesa del cittadino: http://www.mdc.it

Nessuno tocchi Caino contro la pena di morte: http://www.nessuno-tocchicaino.it

Peacelink: http://www.peacelink.it/

Rete Lilliput: http://www.retelilliput.it

Telefono azzurro: http://www.azzurro.it

Uisp - Unione italiana sport per tutti: http://www.uisp.it

Unimondo: http://www.unimondo.org/

Unpli - Unione nazionale pro loco d'Italia: http:/proloco-unpli.it

Vis - Volontariato internazionale per lo sviluppo: http://www.volint.it

Wwf: http://www.wwf.it

Centri studi e organizzazioni di servizio

Aster X - Agenzia di servizi per il terzo settore: http://www.aster-x.it/

Centro di documentazione sulle fondazioni: http://www.fondazioni.it

Centro nazionale per il volontariato: http://cnv.cpr.it

Cesiav - Centro di studi e di servizi per l'associazionismo ed il volontariato: http://www.cesiav.vie.it

Fivol - Fondazione per il volontariato: http://www.fivol.it

Forum permanente del terzo settore: Forumterzosettore@isinet.-itstampaforum@isinet.it

Irs - Istituto per la ricerca sociale: http://www.irs-online.it/temi/profit.htm

Istituto studi sviluppo aziende non profit: http://www-issan.gelso.unitn.it/

Sodalitas: http://www.sodalitas.it/

The Fund Raising School: http://www.fundraisingschool.it

Finanza etica

Associazione finanza etica: http://www.finanza-etica.org/

Banca etica: http://www.bancaetica.com/

Choros: http://www.choros.it

Compagnia sviluppo imprese sociali: http://www.cosis.it

Consorzio ETIMOS - s.c.a.r.l.: http://www.etimos.it/

Fondazioni

Le fondazioni sono un universo molto diversificato. Molti indirizzi di fondazioni sono rintracciabili nel sito del Centro di documentazione sulle fondazioni (vedi Centri studi e organizzazioni di servizio)

Fondazione Cesar: http://www.fondazionecesar.it

Fondazione Cini: http://www.cini.it

Fondazione Giovanni Agnelli: http://www.fondazione-agnelli.it/

Fondazione IBM Italia: http://www.fondazione.ibm.it

Fondazione Umana-Mente: http://www.umana-mente.it

Fondazioni di origine bancaria

Il sito dell'ACRI contiene gli indirizzi di tutte le fondazioni di origine bancaria; di seguito si riportano dunque solo quelli delle fondazioni di maggiori dimensioni.

Associazione casse di risparmio italiane: http://www.acri.it

Compagnia di San Paolo: http://www.compagnia.torino.it/

Fondazione Cariplo: http://fondazionecariplo.it

Fondazione Cassa di risparmio di Torino: http://fondazionecrt.it

Fondazione Cassa di risparmio di Verona: http://fondazionecrverona.org

Fondazione Montepaschi: http://www.fondazionemps.it

Giornali e riviste

«Il Sole - 24 Ore» - Nonprofit: www.nonprofit24.ilsole24ore.com

«Redattore sociale»: http://www.redattoresociale.it

«Vita - Nonprofit Magazine»: http://www.vita.it

farsi un'**idea**

Europa

L'Unione europea, *di Piero S. Graglia*
Il Parlamento europeo, *di Luciano Bardi e Piero Ignazi*
Il mercato unico europeo, *di Roberto Santaniello*
L'euro, *di Lorenzo Bini Smaghi*
La Banca centrale europea, *di Francesco Papadia e Carlo Santini*

Politica e istituzioni

Lo stato e la politica, *di Paolo Pombeni*
Il governo delle democrazie, *di Augusto Barbera e Carlo Fusaro*
La classe politica, *di Gianfranco Pasquino*
I partiti italiani, *di Piero Ignazi*
Il governo della Repubblica, *di Piero Calandra*
La legge finanziaria, *di Luca Verzichelli*
Il governo locale, *di Luciano Vandelli*
La burocrazia, *di Guido Melis*
La giustizia in Italia, *di Carlo Guarnieri*
La giustizia amministrativa, *di Guido Corso*
La Nato, *di Marco Clementi*

Economia

L'economia italiana, *di L. Federico Signorini e Ignazio Visco*
Il debito pubblico, *di Ignazio Musu*
Concorrenza e antitrust, *di Alberto Pera*
La banca, *di Giuseppe Marotta*
La Borsa, *di Francesco Cesarini e Paolo Gualtieri*
I fondi pensione, *di Riccardo Cesari*
L'agricoltura in Italia, *di Roberto Fanfani*
Il commercio in Italia, *di Luca Pellegrini*
Nonprofit, *di Gian Paolo Barbetta e Francesco Maggio*
Il made in Italy, *di Marco Fortis*
Il Fondo monetario internazionale, *di Giuseppe Schlitzer*
La new economy, *di Elena Vaciago e Giacomo Vaciago*

Società

La popolazione del pianeta, *di Antonio Golini*
Le nuove famiglie, *di Anna Laura Zanatta*
L'adozione, *di Luigi Fadiga*
La scuola in Italia, *di Marcello Dei*
L'università in Italia, *di Giliberto Capano*
Il rendimento scolastico, *di Giancarlo Gasperoni*
Occupati e disoccupati in Italia, *di Emilio Reyneri*
Il giornale, *di Paolo Murialdi*
La televisione, *di Enrico Menduni*
I sondaggi, *di Mauro Barisione e Renato Mannheimer*
Gli scout, *di Mario Sica*
Droghe e tossicodipendenza, *di Simonetta Piccone Stella*

Religione

L'induismo, *di Giorgio Renato Franci*
Gli ebrei, *di Piero Stefani*
I musulmani, *di Paolo Branca*
Il Corano, *di Paolo Branca*
Gli ortodossi, *di Enrico Morini*
Le sette, *di Enzo Pace*
New Age, *di Luigi Berzano*
I preti, *di Marcello Offi*
Il giubileo, *di Lucetta Scaraffia*
Comunione e liberazione, *di Salvatore Abbruzzese*

Psicologia

La mente, *di Paolo Legrenzi*
Il linguaggio, *di Patrizia Tabossi*
La memoria, *di Anna Maria Longoni*
Decidere, *di Rino Rumiati*
L'infanzia, *di Luigia Camaioni*
Gli adolescenti, *di Augusto Palmonari*
Invecchiare, *di Renzo Scortegagna*
La felicità, *di Paolo Legrenzi*
L'autostima, *di Maria Miceli*
La timidezza, *di Giovanna Axia*
La vergogna, *di Luigi Anolli*
Sentirsi in colpa, *di Paola Di Blasio e Roberta Vitali*
Arrabbiarsi, *di Valentina D'Urso*